O Fim do Verão

Da mesma autora:

O Carrossel

A Casa Vazia

Os Catadores de Conchas

Com Todo Amor

O Dia da Tempestade

Flores na Chuva

O Quarto Azul

O Regresso

Setembro

Sob o Signo de Gêmeos

Solstício de Inverno

O Tigre Adormecido

Victoria

Vozes no Verão

Rosamunde Pilcher

O Fim do Verão

2ª edição

Tradução
Mauro Figueiredo

BB
BERTRAND BRASIL

Título original: *The End of Summer*

Capa: Leonardo Carvalho

2002
Impresso no Brasil
Printed in Brazil

CIP-Brasil. Catalogação-na-fonte
Sindicato Nacional dos Editores de Livros, RJ.

P686f
2ª ed.

Pilcher, Rosamunde, 1924-
O fim do verão / Rosamunde Pilcher; tradução de Mauro Figueiredo. – 2ª ed. – Rio de Janeiro: Bertrand Brasil, 2002.
192p.

Tradução de: The end of summer
ISBN 85-286-0899-9

1. Romance escocês. I. Figueiredo, Mauro. II. Título.

02-0313

CDD – 828.99113
CDU – 820(411)-3

EDITORA BERTRAND BRASIL LTDA.
Rua Argentina, 171 – 1º andar – São Cristóvão
20921-380 – Rio de Janeiro – RJ
Tel.: (0XX21) 2585-2070 Fax: (0XX21) 2585-2087

1

Durante todo o verão, o tempo havia estado nublado e pesado, com a neblina que vinha do Pacífico envolvendo o calor do sol, feito um grande lençol. Mas quando chegou setembro, como sempre ocorre na Califórnia, a neblina seguiu em direção ao alto-mar, onde permaneceu ao longo da linha do horizonte, tingida de tons lilases e grenás, tal como um imenso hematoma.

No continente, mais além da linha costeira, fazendas repletas de plantações exibiam ao sol nascente suas frutas maduras, milho, alcachofra e abóboras. Os pequenos distritos empoeirados e cinzentos, com suas casas de madeira, começavam a despertar com os primeiros raios do sol. As planícies ricas e férteis se estendiam a leste, em direção ao sopé de Sierra Nevada, e, atravessando todo esse cenário, a rodovia do Camino Real, ao norte de San Francisco e sul de Los Angeles, reluzia com o aço quente dos milhões de carros que lá se apinhavam.

Nos meses de verão, a praia havia estado deserta, já que Reef Point era o fim da linha, raramente favorecido pelo turista ocasional. Por um motivo simples: a estrada não era pavimentada, nem segura, e tampouco convidativa. E por outra razão: o balneário de La Carmella, com suas alamedas charmosas, seu seleto *country club* e hotéis impecáveis, ficava logo depois do pontal, e qualquer pessoa com um pouco de bom senso e alguns dólares permanecia lá. Só mesmo quem gostasse de aventura, estivesse duro, ou fosse louco por surfe, se arriscaria em prosseguir por mais um quilômetro e meio e despencaria pela estradinha que descia até aquela baía grande, deserta e açoitada pelas tempestades.

Mas agora, com tempo bom e quente, e com as ondas enormes e limpas arrebentando na praia, as multidões brotavam no lugar. Carros de todos os tipos desciam o morro para estacionar à sombra, sob os cedros, e despejavam campistas, surfistas e famílias inteiras de *hippies* cansados de San Francisco, que se dirigiam ao sul, rumo ao sol do Novo México, exatamente como as aves migratórias. E nos fins de semana era a vez dos universitários de Santa Barbara, com seus velhos conversíveis e carros populares com adesivos floridos, abarrotados de garotas e caixas de cerveja em lata. Eles circulavam com suas pranchas de surfe de coloridos vivos, típicas de Malibu, montavam suas barracas de acampamento em toda a extensão da praia e impregnavam o ar com suas vozes, suas gargalhadas e cheiro de bronzeador.

E assim, após termos passado semanas e meses praticamente sozinhos, nos víamos cercados de gente e movimentação de todos os tipos. Meu pai andava muito ocupado tentando cumprir o prazo final para a entrega de um roteiro que estava escrevendo, e seu estado de espírito não ajudava nem um pouco. Sem ser notada por ele, saí em direção à praia, levando comigo um lanche (hambúrgueres e refrigerante), um livro para ler, uma toalha de praia para descansar e Rusty como companhia.

Rusty era o nosso cachorro. Meu cachorro. Uma coisa peluda e marrom de raça indeterminada, mas dono de notável inteligência. Logo que nos mudamos para a nossa cabana, ainda na primavera, não tínhamos um cão, e Rusty, que nos espiava, decidiu remediar essa situação. Dessa forma, ele passou a nos acompanhar. Eu o enxotava, corria atrás dele, papai atirava-lhe botas velhas, mas, mesmo assim, ele voltava, incorrigível e sem nenhum rancor, e sentava-se a um ou dois metros de nossa porta dos fundos, sorrindo e batendo com o rabo no chão. Numa manhã em que fazia muito calor, fiquei com pena dele e ofereci-lhe uma tigela com água fresca. Ele bebeu toda a água, e então sentou-se, sorriu e começou a bater novamente com o rabo no chão. No dia seguinte, dei-lhe um osso velho de pernil, que ele apanhou educadamente e enterrou. Em cinco minutos, estava de volta, sorrindo e abanando o rabo.

Meu pai saiu da casa e atirou uma bota em sua direção, mas já sem muito entusiasmo. Era apenas uma demonstração de força sem muita determinação. Rusty sabia disso e se aproximou mais um pouco.

— A quem você acha que ele pertence? — perguntei ao meu pai.

— Só Deus sabe.

— Ele parece achar que é nosso.

— Você está errada — disse meu pai. — Ele acha que nós é que pertencemos a ele.

— Ele nem é bravo e não cheira mal.

Meu pai levantou os olhos da revista que tentava ler.

— Você está tentando dizer que quer ficar com esse maldito bicho?

— É só porque eu não sei como... Eu não sei como vamos nos livrar dele.

— Posso dar um tiro nele.

— Ah, não!

— Ele deve estar com pulgas. Vai trazer pulgas para dentro de casa.

— Eu compro uma coleira antipulgas.

Meu pai me observava por sobre os óculos. Eu podia perceber que ele esboçava um sorriso.

— Por favor — supliquei. — Por que não? Ele vai me fazer companhia enquanto você estiver fora.

— Tudo bem — meu pai capitulou.

Então, calcei meus sapatos, assobiei para o cachorro e subi a ladeira que levava a La Carmella. Lá havia uma clínica veterinária muito cara.

Fiquei aguardando em uma salinha repleta de *poodles* e gatos siameses mimados, e de seus respectivos donos, quando, finalmente, fui chamada. O veterinário olhou para Rusty e me informou que ele estava saudável. Aplicou-lhe apenas uma injeção e disse-me onde comprar a coleira antipulgas. Paguei a consulta, saí para comprar a coleira e voltamos andando para casa. Meu pai continuava lendo a sua revista. O cachorro entrou educadamente e ficou em pé, aguardando um convite para se sentar. Só então se sentou num tapete velho em frente à lareira vazia.

— Qual é o nome dele? — perguntou meu pai.

— Rusty — respondi. Eu já havia tido um porta-camisolas em formato de cachorro com o nome Rusty bordado, e esse foi o primeiro nome que me veio à mente.

Rusty não teve nenhum problema de adaptação, porque parecia sempre ter feito parte da família. Aonde quer que eu fosse, Rusty ia também. Ele adorava praia e sempre escavava tesouros maravilhosos que trazia para casa a fim de que pudéssemos admirá-los. Pedaços de lixo flutuante, frascos vazios de detergente, longas tiras de algas marinhas. E coisas, às vezes, que, obviamente, ele não havia desenterrado. Um tênis novo, uma linda toalha de banho e, certa vez, uma bola de praia furada, que meu pai teve de substituir por uma nova, depois de eu ter movido montanhas para poder encontrar o seu dono, que chorava sem parar. Rusty também gostava de nadar, e sempre insistia em me acompanhar; embora eu pudesse nadar muito mais longe e rápido do que ele, ele sempre vinha atrás. Às vezes, eu achava que ele havia desistido, mas isso nunca acontecia.

Naquele dia, um domingo, havíamos nadado. Meu pai, após ter terminado o seu texto dentro do prazo, fora de carro até Los Angeles, para entregar o *script* pessoalmente. Rusty e eu havíamos feito companhia um ao outro, dentro e fora do mar, durante toda a tarde, catando conchas e brincando com uma varinha de madeira que havíamos encontrado boiando. Mas o tempo começava a esfriar, e então tornei a me vestir. Sentamo-nos, lado a lado, com o sol dourado e ofuscante se pondo, enquanto observávamos os surfistas.

Eles haviam surfado o dia inteiro, mas parecia que nunca iriam se cansar. De joelhos sobre as pranchas, remavam para dentro do mar, para além da arrebentação, onde as águas eram verdes e serenas. Lá, eles aguardavam, pacientes, pousados na linha do horizonte feito uma ninhada de corvos-marinhos, esperando a onda recolher, tomar forma e finalmente quebrar. Escolhiam uma onda, ficavam em pé nas pranchas e, depois que a água subia e fazia uma crista mostrando sua lâmina branca, toda aquela gigantesca massa se encrespava e descia como um trovão. E os surfistas desciam também, galopando na onda — um poema de equilíbrio, arrogante na autoconfiança típica dos jovens — até ela varrer a areia, para então saírem tranqüilamente das pranchas e repetir todo o processo, com eles se atirando mais uma vez ao mar, porque, segundo a sua crença, "há sempre uma onda maior e melhor para se pegar". E agora o sol já estava se pondo e começava a escurecer, mas, mesmo assim, eles não queriam perder um momento sequer.

Um rapaz em especial me chamou a atenção. Ele era louro, tinha cabelos curtos, estava muito bronzeado e vestia bermudas de neoprene do mesmo tom de azul-vivo de sua prancha. Era um excelente surfista, com um estilo e uma investida que faziam os demais parecerem amadores desajeitados. Enquanto eu o observava, ele pareceu ter decidido dar por encerrada a sessão, ao pegar uma última onda que o trouxe até a beira da praia. Desceu, então, da prancha e, depois de olhar pela última vez o mar rosado pelo crepúsculo, ele se voltou, pegou a prancha e começou a caminhar pela areia.

Desviei o olhar. Ele passou bem ao meu lado, e então encaminhou-se para uma pilha de roupas bem dobradas que o aguardavam. Largou a prancha na areia e apanhou uma camiseta desbotada do topo da pilha. Olhei em sua direção novamente. Quando seu rosto surgiu da gola da camiseta que vestia, ele olhou direto para mim. Eu o encarei sem desviar o olhar.

Parecendo achar graça, disse:

— Oi.

— Olá — respondi.

— Quer um cigarro? — perguntou, ajeitando a camiseta na cintura.

— Pode ser.

Ele se abaixou e retirou um maço de Lucky Strike e um isqueiro do bolso, e caminhou pela areia até onde eu estava sentada. Com uma batida no maço, tirou um cigarro para mim e outro para ele. Acendeu os dois e se abaixou ao meu lado, esticando o corpo para trás e se apoiando sobre os cotovelos. Suas pernas, pescoço e cabelos estavam ligeiramente sujos de areia. Ele tinha olhos azuis e uma aparência limpa e bem cuidada, que não se costumava ver nos campus de universidades americanas.

— Você esteve sentada aqui a tarde inteira, quer dizer, quando não estava nadando — disse ele.

— Eu sei — respondi.

— Por que não se juntou a nós?

— Eu não tenho prancha.

— Você podia ter conseguido uma.

— Não tenho dinheiro.

— Podia ter pego uma prancha emprestado.

— Não conheço ninguém que pudesse me emprestar uma.

O rapaz me olhou com um certo ar de estranheza.

— Você é britânica, não é?

— Sou.

— Está aqui a passeio?

— Não. Eu moro aqui.

— Em Reef Point?

— É. — Fiz um gesto com a cabeça, apontando a fileira de cabanas desbotadas feitas de lambris, logo além das dunas de areia.

— Como veio morar aqui?

— Nós alugamos uma cabana.

— Nós quem?

— Meu pai e eu.

— Há quanto tempo você está aqui?

— Desde a primavera.

— Mas não vai passar o inverno aqui.

Era mais uma constatação de um fato do que propriamente uma pergunta. Ninguém passava o inverno em Reef Point. As casas não eram feitas para suportar as tempestades. A estrada que dava acesso ao lugar ficava intransitável, os ventos derrubavam os cabos telefônicos, faltava luz.

— Eu acho que sim. A menos que a gente decida se mudar.

Ele me olhou com espanto.

— Vocês são *hippies*, ou coisa parecida?

Tendo consciência de como eu aparentava na época, nem o culpei por ter-me feito aquela pergunta.

— Não. Meu pai escreve *scripts* de filmes e coisas do tipo para a televisão, mas ele odeia tanto Los Angeles, que se recusa a morar lá, então... nós alugamos essa cabana.

Ele parecia perplexo.

— E o que você faz?

Enchi a minha mão da areia grossa e cinzenta, e a deixei escorrer por entre os dedos.

— Nada especial. Faço compras, esvazio a lata de lixo e tento varrer a areia da casa.

— Aquele cachorro é seu?

— É.

— Como ele se chama?

— Rusty.

— Rusty. Ei, Rusty, garotão!

Rusty respondeu às suas tentativas de aproximação com um mero movimento da cabeça, e então continuou a olhar para o mar.

— Você é de Santa Barbara? — perguntei, tentando compensar a falta de educação de Rusty.

— A-hã — ele respondeu, parecendo não estar nem um pouco a fim de falar de si próprio. — Há quanto tempo você vive aqui nos Estados Unidos? Seu sotaque continua um tanto britânico demais.

— Desde os quatorze. Sete anos — respondi, rindo educadamente da gozação já ouvida tantas outras vezes.

— Esse tempo todo na Califórnia?

— Por toda a parte. Nova Iorque, Chicago e San Francisco.

— Seu pai é americano?

— Não. Ele só gosta daqui. Veio para cá porque havia escrito um romance que foi comprado por uma produtora de filmes e depois seguiu para Hollywood para escrever o *script*.

— Não brinca! Ele é conhecido? Qual é o nome dele?

— Rufus Marsh.

— O autor de *Tall as the Morning*?

Fiz um sinal afirmativo com a cabeça.

— Cara! Eu li cada página do livro quando ainda cursava o Ensino Médio. Toda a minha educação sexual veio daquele livro.

Ele me olhou com interesse renovado, exatamente como sempre acontecia. Eram sempre bonzinhos e atenciosos, mas nunca se interessavam realmente até que eu mencionasse *Tall as the Morning*. Acho que isso tem algo a ver com a minha aparência, porque meus olhos não têm brilho, meus cílios são bem desbotados, e meu rosto não fica bronzeado quando pego sol, mas salpicado e manchado de centenas de sardas enormes. Além do mais, sou alta demais para uma garota, e os ossos do meu rosto sobressaem muito.

— Ele deve ser um cara e tanto.

Seu rosto exibia uma nova expressão, de perplexidade e frustração pelas perguntas que tinha vontade de fazer:

Se você é mesmo filha de Marsh, por que, então, está sentada nesta praia esquecida por Deus, no meio do mato, na Califórnia, usando jeans *remendados e uma camisa masculina que já deveria ter virado pano de chão décadas atrás, e como pode nem dispor de dólares o bastante para comprar uma prancha de surfe?*

— Que tipo de homem é ele, afinal? Quero dizer, além de ser pai? — perguntou, seguindo a linha do meu raciocínio com uma previsibilidade risível.

— Sei lá.

Eu nunca conseguia descrevê-lo, nem para mim mesma. Peguei mais um pouco de areia e a deixei escorrer, fazendo uma montanha em miniatura e apagando o meu cigarro no seu cume, formando uma pequena cratera, um vulcão minúsculo, com uma guimba de cigarro como núcleo. Um homem que tem de estar sempre em movimento. Um homem que faz amigos com facilidade e os perde no dia seguinte. Um homem brigão, que gosta de discutir, e cujo talento beira à genialidade, mas que fica totalmente desconcertado com os pequenos problemas do dia-a-dia. Um homem que encanta e irrita. Um paradoxo de homem.

— Não sei — repeti, e me voltei para olhar para o rapaz ao meu lado. Ele era legal. — Eu podia convidar você para ir tomar uma cerveja lá em casa, e aí você poderia encontrá-lo e ver, por si próprio, que tipo de homem ele é. Só que, agora, ele está em Los Angeles e só voltará para casa amanhã pela manhã.

— Já sei. Voltarei no próximo fim de semana, se o tempo não piorar — disse, depois de pensar um pouco, enquanto coçava a nuca, fazendo cair uma pequena chuva de areia.

— Voltará? — Eu sorri.

— Não se preocupe, vou achar você.

— Tá legal.

— Trarei uma prancha-reserva. Aí você vai poder surfar.

— Você não precisa me subornar — eu disse.

— Como assim, "subornar"? — perguntou, fingindo ter ficado ofendido.

— Vou levar você para conhecê-lo no próximo final de semana. Ele gosta de ver caras novas por aqui.

— Eu não estava tentando comprar você, não. Sério.

— Eu sei que não — respondi, relevando. — Além do mais, eu quero mesmo surfar.

Ele riu e apagou o cigarro. O sol, mergulhando no mar sobre a linha do horizonte, tomava forma e cor — uma abóbora dourada. Ele se sentou, esfregando os olhos para se proteger do brilho ofuscante, bocejou um pouco e se espreguiçou.

— Tenho que ir — disse, levantando-se e hesitando por uns instantes. Sua sombra projetada na areia parecia se estender infinitamente. — Tchau, então.

— Tchau.

— Até domingo que vem.

— Tá legal.

— Temos um encontro. Não vá se esquecer.

— Pode deixar.

Ele se voltou e foi andando; parou para apanhar o resto de suas coisas, e tornou a se voltar para esboçar um último aceno antes de atravessar toda a extensão da areia, até onde os velhos cedros marcavam o caminho que levava à estrada.

Fiquei vendo ele partir e percebi que eu nem sequer sabia o seu nome. E, o que é pior, ele nem se dera ao incômodo de perguntar o meu. Eu era apenas a filha de Rufus Marsh. Mas, mesmo assim, no próximo domingo, se o tempo estivesse bom, talvez ele voltasse. Se o tempo continuasse bom. Isso era algo para se aguardar ansiosamente.

2

Foi por sugestão de Sam Carter que viemos morar em Reef Point. Sam era o agente do meu pai em Los Angeles, e foi por puro desespero que ele acabou se oferecendo para procurar um lugar barato para morarmos, porque existia uma antipatia mútua tão grande entre meu pai e Los Angeles, que ele não conseguia escrever uma palavra sequer que rendesse algum dinheiro enquanto estávamos morando lá. E Sam também corria o risco de perder tanto dinheiro quanto clientes valiosos.

"Há uma casa em Reef Point", disse Sam. "É pequena, mas bastante tranqüila... No fim do mundo", acrescentou, imaginando uma espécie de paraíso de Gauguin.

Então, fizemos um *leasing* da casa, colocamos todos os nossos bens materiais, que eram melancolicamente poucos e pequenos, no Dodge surrado do papai, e rumamos para lá, deixando a poluição e a correria de Los Angeles para trás, entusiasmados feito crianças que sentem o cheiro do mar pela primeira vez.

No começo, tudo era agradável. Depois de ter deixado a cidade, era mágico acordar e não ouvir nada além dos sons das aves marinhas e dos incessantes estrondos das ondas. Era bom caminhar na areia pela manhã bem cedo para ver o sol nascer por sobre as montanhas, estender o varal e ficar olhando as roupas encherem com o vento, brancas como velas novas.

Os serviços de casa eram necessariamente simples — nunca fui mesmo uma dona-de-casa muito boa. E em Reef Point só havia uma lojinha — uma espécie de armazém que a minha avó, lá na Escócia, teria chamado de "Tem Tudo", porque lá se vendia de tudo, de licença para armas, aventais e comida congelada até pacotes de guardanapos. Os donos eram Bill e Myrtle, que administravam a loja de um jeito desanimado e vagaroso, porque os legumes frescos, frutas, frango e ovos de que eu precisava pareciam estar sempre em falta. Porém, ao longo do verão, passamos a gostar muito de *chili con carne* enlatado, *pizza* congelada e todos os tipos variados de sorvete que a Myrtle obviamente adorava. Ela era, de fato, muito gorda, com seus quadris enormes e coxas fazendo volume sob o *jeans*, e braços que mais pareciam pernis, completamente expostos pelas blusas sem mangas, típicas de adolescentes, que ela gostava de usar.

Agora, após seis meses em Reef Point, eu estava ficando inquieta. Aquele verão indiano duraria quanto tempo mais? Um outro mês, talvez. Em breve, as tempestades ficariam mais sérias, começaria a escurecer mais cedo e as chuvas viriam com a lama e o vento. A cabana não dispunha de nenhum tipo de aquecimento central, a não ser pela enorme lareira que ficava na sala de estar arejada e que queimava lenha num ritmo incrível. Eu me lembrava com nostalgia dos baldes de carvão lá da Escócia, mas não havia carvão por ali. Sempre que eu voltava da praia, vinha arrastando um toco ou galho para fazer lenha, feito uma bandeirante desbravadora, e o adicionava à pilha que ficava junto à porta dos fundos. A pilha estava ficando enorme, mas eu sabia que logo que a gente começasse a precisar de fogo ela acabaria bem rápido.

A cabana não ficava distante da praia, e tinha numa pequena duna de areia a sua única proteção contra os ventos que vinham do mar. Feita de madeira, já desbotada, e tendo adquirido uma tonalidade de cinza-prateado, era construída sobre estacas, de modo que se tinha de subir uns dois degraus para se alcançar a porta da frente e a dos fundos. No seu interior, havia uma ampla sala de estar, com janelas envidraçadas dando vista para o oceano, uma estreita e minúscula cozinha, um dormitório grande, que meu pai ocupava, e um menor, com um beliche preso à parede, talvez destinado a uma criança ou a um parente idoso sem importância, que era onde eu dormia. A decoração, parca e deprimente, era no estilo das cabanas de veraneio, de modo que toda a mobília havia sido, obviamente, aproveitada de outras casas maiores. A cama do papai era uma monstruosidade feita de latão, com peças faltando e um conjunto de molas que guinchavam toda vez que ele se virava. E, no meu quarto, um espelho dourado de enfeite, que mais parecia ter pertencido a um bordel da era vitoriana, refletia a figura de uma mulher submersa coberta de pintas pretas.

A sala de estar não era muito melhor — as velhas poltronas bambeavam, com seus remendos gastos disfarçados por colchas afegãs de crochê; o tapete da lareira tinha um furo, e as outras cadeiras tinham os assentos feitos de pêlo de cavalo. Só existia uma mesa, e papai havia se apossado de um lado dela para usá-lo como escrivaninha, de modo que éramos obrigados a fazer nossas refeições do outro lado, espremidos, com os nossos cotovelos se tocando. A melhor coisa na casa era o sofá que ficava próximo à janela, que tomava toda a extensão da sala e era forrado com espuma e coberto de mantas e almofadas, tornando-se tão acolhedor quanto um velho sofá de um quarto de bebê, principalmente para se ficar encolhido nele, lendo ou observando o pôr-do-sol, ou, ainda, simplesmente, meditando.

Mas era um lugar solitário. À noite, o vento batia e uivava através das frestas das janelas e os cômodos se enchiam de sussurros e rangidos estranhos, como um navio em alto-mar. Quando meu pai estava em casa, nada disso me incomodava, mas quando ficava sozinha, a minha imaginação começava a funcionar, inspirada pelas histórias de violência retiradas das colunas dos jornais locais. A cabana em si era algo frágil, nenhuma das trancas das portas ou janelas seria capaz de deter um invasor determinado, e agora, com o fim do verão e com os ocupantes das outras cabanas de malas feitas e de volta aos seus respectivos lares, eu estava completamente isolada. Até mesmo Myrtle e Bill se encontravam a meio quilômetro de distância, e o telefone era uma extensão, nem sempre eficiente. De uma forma ou de outra, não valia a pena pensar nas possibilidades.

Nunca conversei com meu pai sobre esses medos — além do mais, ele tinha um trabalho a fazer, e sendo um homem bastante sensível, eu tinha certeza de que ele sabia que eu seria capaz de ter uma crise nervosa, e foi esse o motivo pelo qual ele me deixou ficar com Rusty.

Naquela noite, depois do dia na praia lotada, do sol convidativo e do meu encontro com o jovem aluno de Santa Barbara, a cabana parecia ainda mais deserta.

O sol havia deslizado pela linha do horizonte, uma brisa noturna estava soprando, e logo escureceria. Então, para tentar espantar a solidão, acendi a lareira, cujas chamas se agitavam desordenadamente sobre a lenha, e para me sentir mais confortável, tomei uma ducha quente e lavei os cabelos. Depois, enrolada em uma toalha, entrei no quarto para apanhar uma calça *jeans* limpa e um velho suéter que havia pertencido a meu pai até que, acidentalmente, eu o encolhi ao lavá-lo.

Sob o espelho de bordel, havia uma cômoda envernizada que acabava servindo como penteadeira. Sobre ela, na falta de outro lugar, eu havia colocado as minhas fotos. Elas eram muitas e ocupavam muito espaço; na maioria das vezes, eu nem olhava constantemente para elas, mas àquela noite era diferente. Enquanto desembaraçava os meus cabelos longos e molhados, eu as analisava, uma a uma, como se pertencessem a alguém que eu mal conhecesse, ou fossem de lugares onde eu nunca houvesse estado.

Uma delas mostrava minha mãe — um retrato formal — numa moldura prateada; na outra, a mamãe com os ombros nus e brincos de brilhantes nas orelhas, e com o novo penteado feito pela Elizabeth Arden. Eu adorava aquela foto, mas não era daquele jeito que me lembrava dela. Aquela era melhor, minha mãe numa foto ampliada tirada em um piquenique, usando uma saia xadrez, uma capa até a cintura, e rindo como se algo ridículo estivesse para acontecer. Havia, também, a coletânea de fotos —

mais uma montagem — com as quais eu preenchera ambos os lados de um álbum feito de couro. Elvie — a velha casa branca — vista ao fundo através de um arco de larícios e pinheiros, com a montanha se erguendo por detrás e o brilho do lago no fim do gramado; o píer e o velho bote que sempre empacava, que usávamos para pescar trutas; a minha avó, com as janelas de batente abertas e as inevitáveis tesouras de podar na mão; o cartão-postal colorido do lago Elvie que eu comprara na agência de correio de Thrumbo e uma outra foto de piquenique, com os meus pais juntos, o nosso velho carro ao fundo, e um *spaniel* marrom-avermelhado e branco sentado aos pés de mamãe.

E havia as fotos do meu primo Sinclair. Dezenas delas. Sinclair com a sua primeira truta; Sinclair vestindo sua saia escocesa, saindo para uma excursão; Sinclair com uma camisa branca, capitão do time de críquete; Sinclair esquiando; ao volante do seu carro; usando uma cartola de papel em alguma festa de Ano-novo e aparentando um pouco de embriaguez. (Nessa foto, ele estava abraçado a uma garota morena e bonita, mas eu arrumara as fotos de modo que ela não aparecesse.)

Sinclair era filho do irmão da minha mãe, Aylwyn. Aylwyn havia se casado — jovem demais, todos comentavam — com uma garota chamada Silvia. O fato de a família ter desaprovado a sua escolha infelizmente provou ter fundamento, porque, tão logo dera à luz um bebê para o seu marido, Silvia se levantou e abandonou os dois, indo morar com um corretor de imóveis nas ilhas Balearic. Depois que o choque inicial passou, todos concordaram que aquela decisão havia sido a melhor coisa que poderia ter acontecido, principalmente para Sinclair, que acabou sendo criado pela avó, e cresceu em Elvie nas circunstâncias mais felizes. Para mim, ele sempre pareceu ter tido o melhor de tudo.

Do seu pai, meu tio Aylwyn, eu não tinha a mais vaga lembrança. Quando era ainda muito pequena, ele partiu para o Canadá, supostamente para voltar de vez em quando com o intuito de visitar sua mãe e seu filho; porém, durante o tempo em que ficamos lá, nunca apareceu. Meu único interesse nele se devia à possibilidade de ele me mandar um lenço de cabelo vermelho feito pelos índios. Com o passar dos anos, devo ter reiterado o meu pedido umas cem vezes, sem sucesso.

Dessa forma, Sinclair era praticamente um filho para a minha avó. Não consigo me lembrar de um momento sequer na minha vida em que não estivesse mais ou menos apaixonada por ele. Como era seis anos mais velho do que eu, ele havia sido uma espécie de mentor para mim durante a minha infância, dotado de incrível sabedoria e de uma coragem a toda prova. Ele me ensinou a colocar um anzol numa linha, a balançar de cabeça para baixo em seu trapézio e a arremessar uma bola num jogo de críquete. Juntos, nadamos, andamos de trenó, acendemos fogueiras em locais proibidos, construímos uma casa numa árvore e brincamos de pirata no velho barco que minava água.

Logo que vim para a América, escrevia para ele regularmente, mas, sem resposta, acabei desanimando. Em pouco tempo, nossa correspondência se reduziu a cartões de Natal, ou a um bilhete rabiscado em datas de aniversário, e foi por intermédio da minha avó que eu tive notícias dele, e foi dela, também, que recebi a foto da festa de Ano-novo.

Depois que minha mãe faleceu, minha avó se ofereceu para me acolher também, como se ter Sinclair aos seus cuidados não fosse o suficiente.

"Rufus, por que você não deixa a menina comigo?" Isso ela perguntou logo após o velório, depois de termos chegado a Elvie, deixando o luto de lado e discutindo o futuro, no seu modo prático e habitual. Eu não deveria estar escutando a conversa, mas estava lá, nas escadas, e suas vozes se faziam ouvir claramente por detrás da porta fechada da biblioteca.

"Porque você já tem uma criança sob a sua responsabilidade."

"Mas eu adoraria ficar com a Jane... e ela me faria companhia também."

"Você não está sendo um pouco egoísta?"

"Eu não acho. Rufus, é na vida dela que você tem que pensar agora, no futuro dela..."

Meu pai disse uma palavra muito rude. Fiquei horrorizada, não pela palavra em si, mas por ele ter dito aquilo à minha avó. Achei que ele estivesse um pouco bêbado...

Ignorando a palavra, minha avó prosseguiu, sem abandonar seus modos de dama, tão habituais, mas a sua voz assumiu um tom mais grave, como sempre ocorria quando começava a ficar com raiva.

"Você acabou de me dizer que está indo para a América, para escrever o roteiro de um filme baseado em seu livro. Você não pode arrastar uma menina de quatorze anos para Hollywood."

"Por que não?"

"E a educação dela?"

"Existem escolas na América."

"Seria tão fácil para mim tê-la aqui comigo. Só até você se estabelecer, achar um lugar para morar."

Meu pai arrastou a cadeira para trás, arranhando o piso. Ouvi os seus pés tocarem o chão.

"E aí", retrucou, "eu mando buscá-la, e você a coloca no primeiro vôo?"

"Claro."

"Você sabe que isso não vai dar certo."

"Por que não daria?"

"Porque, se eu deixar a Jane aqui com você por qualquer período de tempo, Elvie passará a ser a sua casa e ela nunca mais vai querer partir. Você sabe que ela prefere ficar em Elvie a qualquer outro lugar do mundo."

"Então, para o bem dela..."

"Para o bem dela, vou levá-la comigo."

"Esse não é o único motivo, é, Rufus?", insistiu a minha avó, após um longo silêncio.

"Não", disse finalmente, após ter hesitado por uns instantes, como se tentasse não ofendê-la.

"Levando tudo em consideração, ainda acho que você está cometendo um erro."

"Se eu estiver errado, o erro será meu. Da mesma forma que a filha é minha e que não vou abrir mão de sua guarda."

Eu já havia ouvido o bastante. Levantei-me e subi as escadas escuras, correndo feito louca. No meu quarto, deitada de bruços sobre a cama, desandei a chorar desesperadamente, porque estava deixando Elvie, porque nunca mais veria Sinclair e porque as duas pessoas que eu mais amava no mundo estavam brigando por minha causa.

Eu escrevia, claro, e minha avó respondia, e suas cartas vinham repletas de cada som e de cada cheiro de Elvie. E, assim, depois de um ou dois anos, ela escreveu:

"Por que não volta para a Escócia? Só por umas férias curtas, um mês ou dois. Estamos todos com muita saudade de você, e há tantas coisas para você ver aqui. Plantei mais rosas na estufa, e Sinclair vai chegar em agosto... Ele tem um conjugado em Earls Court e me convidou para almoçar, da última vez que estive em Londres. Se você tiver dificuldades em conseguir a passagem, você sabe que é só pedir, que eu mando o senhor Bembridge da agência de viagens enviar-lhe uma. Converse com seu pai sobre isso."

A idéia de ir a Elvie em agosto, com Sinclair lá, era quase irresistível, mas eu não podia conversar sobre isso com meu pai, porque eu havia escutado aquela discussão acalorada na biblioteca, e achava que ele não iria permitir que eu fosse.

Além do mais, parecia nunca ter havido tempo, nem oportunidade, para fazer a viagem para casa. Era como se nos tivéssemos tornado nômades. Chegávamos a um lugar, nos estabelecíamos, e já era hora de nos mudarmos. Às vezes, vivíamos como ricos, mas ficávamos sem dinheiro com mais freqüência. Sem minha mãe para controlá-lo, meu pai gastava dinheiro feito água. Morávamos em mansões em Hollywood, em hotéis de beira de estrada, em apartamentos na Quinta Avenida e em pensões de quinta categoria. Com o passar dos anos, sentia como se tivéssemos passado a vida inteira viajando pela América e que nunca nos estabeleceríamos, em definitivo, em lugar nenhum. E minha lembrança de Elvie desbotava-se e se tornava algo irreal; como se as águas do Lago Elvie tivessem subido e engolido a casa inteira. Tinha de me esforçar para lembrar que a casa ainda estava lá, habitada por pessoas que faziam parte da minha vida e que eu amava; e não inundada e perdida para sempre, vista nas profundezas através das águas turvas e escuras de algum terrível desastre natural.

Rusty gania aos meus pés. Sobressaltada, olhei para baixo e, por alguns instantes, tão distante eu havia estado, que não conseguia me lembrar quem ele era ou o que estava fazendo ali. E assim, como uma fita de vídeo que trava no meio de um filme, houve um clique no mecanismo do meu cérebro, o mundo real veio à tona novamente e percebi que meu cabelo estava quase seco e que Rusty, assim como eu, estava com fome e queria o seu jantar. Então, larguei o pente, retirei Elvie da minha mente, fui colocar mais lenha na lareira e vasculhar a geladeira para ver se encontrava alguma coisa que pudéssemos comer.

Eram quase nove horas quando escutei o ruído de um carro descendo a ladeira pelo caminho que levava a La Carmella. Eu só ouvi porque ele vinha em uma marcha reduzida, como todos os carros necessariamente o fazem, e por estar sozinha, e porque toda a minha capacidade de percepção estava automaticamente mais aguçada a fim de captar qualquer ruído estranho.

Estava lendo um livro, prestes a virar uma página, mas fiquei imóvel e me pus em alerta. Rusty, ao perceber isso, sentou-se imediatamente, muito quieto, como se não quisesse provocar nenhuma perturbação. Ficamos juntos, prestando atenção a tudo. Um toco deslizou no fogo, na lareira; as ondas estouravam ao longe. O carro descia a ladeira.

Pensei... *Myrtle e Bill. Eles foram ao cinema em La Carmella.* Mas o carro não parou na loja. Ele continuou, ainda rangendo em primeira marcha, passou pelos cedros onde as pessoas que costumam fazer piqueniques estacionam seus carros, e seguiu pela estradinha deserta, que só podia levar até mim.

Será que era meu pai? Mas ele só estaria de volta no dia seguinte à noite. Será que era o rapaz que eu havia encontrado na praia, voltando para tomar um copo de cerveja? Ou um vagabundo? Um prisioneiro que escapara da prisão? Um tarado...?

Levantei-me, largando meu livro sobre o tapete em frente à lareira, e corri para checar os trincos das portas. Ambas estavam trancadas. Mas não havia cortinas na cabana; qualquer um poderia olhar para dentro e me ver, sem ser visto. Apavorada, corri para apagar todas as luzes, mas o fogo na lareira ainda reluzia, enchendo a sala com sua luz trêmula... a luz dançava nas paredes e sobre a mobília, dando às cadeiras velhas uma aparência ameaçadora.

Os faróis ficavam cada vez mais próximos, penetrando a escuridão lá fora. Agora, eu podia ver o carro se aproximando suavemente, as rodas passando sobre as marcas de pneus endurecidas no barro da estrada. Ele passou pela última cabana vazia, próxima à nossa, e estacionou em frente à porta dos fundos. E não era meu pai.

Sussurrei para Rusty, chamando-o para perto de mim, agarrando a sua coleira para me sentir segura, e sentindo o calor dos seus pêlos marrons. Ele rosnou e resmungou, mas não latiu. Juntos, ouvimos o motor do carro sendo desligado, e, então, a porta se abrindo e se fechando. Fez-se silêncio por alguns instantes, após os quais ouvimos passos se aproximando sobre o chão arenoso que separava a porta dos fundos da estrada e, no instante seguinte, uma batida na porta.

Soltei uma espécie de grito sufocado, e isso foi o bastante para que Rusty escapulisse da minha mão e latisse, como se sua cabeça fosse explodir, querendo alcançar o que quer que fosse que estivesse esperando do lado de fora.

— Rusty!

Segui atrás dele, mas ele continuou a latir.

— Rusty, não faça isso... Rusty!

Agarrei-o pela coleira e o arrastei para longe da porta, mas ele continuou a latir, e me ocorreu que seus latidos faziam-no parecer tão grande e feroz, que talvez aquela fosse a melhor coisa que pudesse estar acontecendo.

Eu me recompus, dei-lhe um solavanco que o fez ficar quieto e, então, fiquei de pé. Minha sombra, projetada pela luz das chamas, dançava sobre a porta trancada.

Engoli em seco, respirei fundo e disse com o tom de voz mais firme e claro possível:

— Quem é?

— Desculpe o incômodo, mas estou procurando a casa do senhor Marsh — respondeu uma voz de homem.

Será que era um amigo de meu pai? Ou seria apenas um truque para me fazer abrir a porta? — hesitei.

— É aqui que mora Rufus Marsh? — repetiu.

— É.

— Ele está em casa?

Seria mais uma artimanha?

— Por quê? — perguntei.

— Bem, me disseram que poderia encontrá-lo aqui.

Eu ainda estava tentando decidir o que fazer, quando ele acrescentou num tom de voz bem diferente:

— É a Jane?

Não há nada mais desconcertante do que descobrir que um estranho sabe o seu nome. Além do mais, havia algo em sua voz... ainda que fosse difícil distinguir através da porta bem trancada... alguma coisa...

— Sim — respondi.

— Seu pai está?

— Não, ele está em Los Angeles. Quem é você?

— Bem, meu nome é David Stewart... eu... olha, é meio difícil conversar através da porta...

Antes, porém, que ele tivesse tempo de dizer a palavra seguinte, eu já havia retirado o trinco, erguido a tranca e aberto a porta para ele. E cometi aquela aparente loucura por causa do modo como ele havia pronunciado o seu próprio nome: Stewart. Os americanos, invariavelmente, acham difícil pronunciá-lo... Stoowart, é como falam. Mas ele tinha falado Stewart do modo como a minha avó falava; logo, não era americano, mas vinha de casa. E com um nome daqueles, provavelmente era escocês.

Talvez eu tivesse achado que fosse reconhecê-lo imediatamente, mas, na verdade, nunca o tinha visto antes em toda a minha vida. Ficou parado na minha frente, com os faróis do carro ainda acesos por detrás, e com apenas a luz da lareira para me mostrar o seu rosto. Ele usava óculos com armação de osso e era alto... mais alto do que eu. Nós nos encaramos, ele espantado pela mudança brusca na minha atitude, e eu tomada de súbito por uma enorme onda de puro ódio. Nada me deixa mais irritada do que ser assustada, e ele havia me deixado quase louca de tanto medo.

— O que você pretende, esgueirando-se desse jeito, no meio da noite...

Até eu mesma achei que minha voz havia soado estridente e um tanto fora de controle.

— São só nove horas, e eu não quis assustar você.

— Você poderia ter telefonado avisando que estava vindo.

— Não achei nenhum número na lista — respondeu, sem fazer qualquer menção de entrar. Rusty, atrás de mim, ainda o olhava ameaçadoramente.

— Não imaginava que você fosse estar sozinha, ou eu teria esperado — continuou.

A minha raiva estava diminuindo, e me sentia um pouco envergonhada pelo rompante.

— Bem... já que você está aqui, é melhor entrar.

Eu me afastei e tateei a parede, tentando achar o interruptor. A sala foi inundada por uma luz elétrica fria e ofuscante.

— Você não vai querer as minhas credenciais... cartão de crédito? Passaporte? — perguntou, ainda hesitando.

Lançando-lhe um olhar ríspido, achei ter detectado um brilho de satisfação por trás de suas lentes, embora não soubesse o que ele tinha achado de tão engraçado.

— Se você tivesse morado aqui o tempo que eu morei, também não abriria a porta para qualquer gatuno à espreita.

— Bem, antes que o gatuno à espreita entre, talvez seja melhor eu ir até lá e apagar os faróis. Eu os deixei acesos para que pudesse ver o caminho.

Sem esperar pela resposta na ponta da língua que eu adoraria ter dado, ele voltou lá fora. Deixei a porta aberta, fui até a lareira e pus uma outra tora no fogo, com o coração batendo feito um tambor. Arrumei o tapete da lareira, chutei o osso de Rusty para debaixo da cadeira, e estava acendendo um cigarro, quando ele voltou para dentro da cabana, batendo a porta dos fundos depois de entrar.

Virei-me para olhá-lo. Tinha a pele clara e os cabelos negros, como muitos habitantes das Terras Altas da Escócia. Era magro e tinha um ar um tanto professoral, em seus traços angulares e descoordenados. Estava usando um terno de *tweed* um pouco gasto nos cotovelos, joelhos e nas casas dos botões, uma camisa xadrez marrom e branca e uma gravata verde-escuro. Aparentava ser um diretor de escola ou um professor de alguma ciência oculta. Era difícil dizer a sua idade. Poderia ter entre trinta e cinqüenta anos.

— Como você está se sentindo agora? — perguntou.

— Eu estou bem. — Mas minha mão ainda estava tremendo, e ele percebeu.

— Um pequeno drinque não lhe faria mal.

— Eu não sei se teremos algo que sirva.

— Onde é que a gente pode procurar?

— Talvez embaixo do sofá da janela.

Ele foi até lá, abriu um gavetão, tateando um pouco, e voltou, com penugem por toda a manga de seu casaco, e um quarto de uma garrafa de Haig na mão.

— O próprio. Agora tudo que precisamos é de um copo.

Fui até a cozinha e voltei com dois copos, um jarro d'água e uma fôrma de gelo, e o observei enquanto ele preparava os drinques. Eles tinham uma tonalidade escurecida um tanto suspeita.

— Eu não gosto muito de uísque — disse.

— Pense nisso como um remédio — retrucou, passando-me um copo.

— Eu não quero ficar bêbada.

— Com isso aqui você não ficará.

Fazia sentido. O uísque tinha um paladar forte e divinamente quente. Aliviada e envergonhada por ter sido tão tola, sorri para ele, meio sem graça.

Ele sorriu de volta.

— Por que não nos sentamos?

Logo nos sentamos, eu sobre o tapete em frente à lareira, ele na ponta da enorme cadeira do papai, com as mãos soltas por entre os joelhos e o drinque no chão entre os seus pés.

— Só por curiosidade, o que fez com que você abrisse a porta?

— O modo como você disse o seu nome — Stewart. Você é escocês, não é?

— Sou.

— De onde?

— Caple Bridge.

— Mas esse lugar fica perto de Elvie.

— Eu sei. É que trabalho para Ramsay McKenzie e King...

— Eles são os advogados da minha avó.

— Exatamente.

— Mas eu não me lembro de você.

— Eu trabalho na firma há apenas cinco anos.

— Aconteceu... alguma coisa? — perguntei com dificuldade, sentindo meu coração gelar.

— Não aconteceu nada — sua voz foi bastante tranqüilizadora.

— Então por que você veio?

— É por causa — disse David Stewart — de várias cartas sem respostas.

3

— Eu não entendo — respondi, após algum tempo.

— Quatro, para ser mais exato. Três da própria senhora Bailey e uma que escrevi a pedido dela.

— Para quem?

— Para seu pai.

— Quando?

— Nos últimos dois meses.

— Você mandou as cartas para cá? Nós nos mudamos tantas vezes.

— Você mesma escreveu para a sua avó, dando esse endereço.

Era verdade. Eu sempre avisava à minha avó quando nos mudávamos. Joguei na lareira meu cigarro, que já estava pela metade, e tentei me acostumar com aquela situação incomum. Meu pai, embora possuísse muitos defeitos, não era um homem de guardar segredos... Muito pelo contrário, ele normalmente ficava se queixando em altos brados, dias a fio, quando qualquer coisa o incomodava ou perturbava. Mas ele não havia mencionado nada sobre carta alguma.

— Você não viu nenhuma carta? — perguntou David Stewart, tentando me provocar.

— Não. Não, mas isso não é nenhuma surpresa, porque é o papai quem sempre apanha a correspondência lá no armazém, todos os dias.

— Talvez ele nunca as tenha aberto?

Mas isso também não era do seu feitio. Meu pai sempre abria as cartas. Não necessariamente as lia, mas havia sempre a feliz possibilidade de que pudesse haver algum cheque no envelope.

— Não, ele não faria isso — respondi, engolindo o nó que me apertava a garganta e jogando o cabelo para trás, afastando-o do rosto. — O que diziam as cartas? Ou você não sabe?

— Sim, claro que sei.

Ele podia aparentar muita frieza, e não era difícil imaginá-lo atrás de uma escrivaninha antiquada, pigarreando friamente, lidando bem com todas as surpresas desagradáveis de testamentos, declarações, vendas, aluguéis e pedidos de avaliação.

— Sua avó só quer que você volte para a Escócia... para fazer uma visita...

— Eu sei que ela quer — eu disse. — Ela sempre fala disso nas cartas.

— Você não quer vir? — indagou, erguendo uma sobrancelha.

— Sim... claro que quero...

Pensei no meu pai; lembrei-me da conversa que ouvira muito tempo atrás.

— Eu não sei... Quer dizer, não dá para decidir assim, de uma hora para outra...

— Existe alguma razão para você não ir?

— Bem, claro que sim... meu pai...

— Você está querendo dizer que, se você fosse, não haveria ninguém para cuidar da casa para ele?

— Não, eu não quis dizer isso.

Ele esperou que eu elaborasse melhor a minha resposta, para que eu talvez pudesse deixar claro o que realmente pensava. Não queria encará-lo, e me virei para o fogo na lareira. Tinha a desconfortável suspeita de que meu rosto aparentava algo que podia ser descrito como vergonha.

— Sabe, nunca houve nenhum ressentimento pelo fato de seu pai ter trazido você para a América...

— Minha avó queria que eu ficasse em Elvie.

— Você sabia disso?

— Sabia, eu os ouvi brigando. Eles não costumavam discutir daquele jeito. Até acho que eles se davam muito bem. Mas, aí, houve uma discussão horrível por minha causa.

— Mas isso foi há sete anos. Agora, com certeza, podemos tomar algumas providências.

— Mas é tão caro... — argumentei, dando a desculpa mais óbvia.

— É claro que a senhora Bailey vai pagar sua passagem. — (Eu fazia uma triste idéia do tipo de reação que meu pai teria.) — Você não vai precisar ficar lá por mais de um mês — insistiu. — Você não quer ir?

Seus modos me desarmaram.

— É claro que quero ir...

— Então, por que essa falta de entusiasmo?

— Não quero aborrecer meu pai. E ele, obviamente, não quer que eu vá, ou teria respondido a todas aquelas cartas de que você falou.

— Pois é, as cartas. Onde será que elas estão?

— Lá, talvez — eu disse, apontando para a mesa atrás dele, onde havia uma pilha de manuscritos, livros de consulta, arquivos antigos, envelopes e contas, lamentavelmente a pagar.

— Por que será que ele nunca falou delas para você?

Eu não disse nada, mas achava que soubesse o motivo. De alguma forma, meu pai guardava um certo rancor de Elvie e se ressentia do fato de aquele lugar significar tanto para mim. Talvez tivesse um pouco de ciúme da família da minha mãe. Talvez tivesse medo de me perder.

— Não tenho a menor idéia — respondi.

— Bem, quando é que você acha que ele volta de Los Angeles?

— Não acho que seja uma boa idéia você falar com ele. Isso só iria deixá-lo muito triste, porque, mesmo se concordasse que eu fosse, eu não poderia deixá-lo sozinho aqui.

— Mas, com certeza, a gente poderia dar um jeito...

— Não, não poderíamos. Ele tem que ter alguém para cuidar dele. Ele é a pessoa mais relaxada do mundo... Ele não iria se alimentar direito, não iria comprar gasolina para o carro; se eu o deixasse, eu ficaria preocupada com ele o tempo todo.

— Jane... você precisa pensar um pouco em si mesma...

— Da próxima vez, eu vou. Diga à minha avó que, da próxima vez, eu vou.

Ele refletiu sobre a decisão dela em silêncio. Terminou seu drinque e colocou o copo vazio no chão.

— Bem, vamos fazer o seguinte: eu estou voltando para Los Angeles amanhã pela manhã, por volta das onze horas. Há um lugar reservado para você no vôo para Nova Iorque na manhã de terça. Não há nada que a impeça de refletir sobre isso quando você for se deitar hoje à noite; e se mudar de idéia...

— Não vou mudar de idéia.

— Se você mudar de idéia, não há nada que a impeça de vir comigo — prosseguiu, ignorando o que eu havia dito. — E ainda acho que você deveria ir — insistiu, ficando de pé e inclinando-se sobre mim.

Como não gosto quando me olham de cima, então fiquei de pé também.

— Você me pareceu bastante certo de que eu iria com você.

— Eu esperava que fosse.

— Você acha que estou apenas arrumando desculpas para não ir?

— Não inteiramente.

— Eu me sinto até culpada por você ter vindo de tão longe por nada.

— Eu estava em Nova Iorque a negócios, e gostei de ter conhecido você. Apenas lamento não ter encontrado seu pai. Até mais, Jane — falou, estendendo-me a mão.

Depois de hesitar por uns segundos, apertei sua mão. Os americanos não costumam trocar apertos de mãos, e a gente acaba perdendo o hábito.

— Darei lembranças à sua avó.

— E ao Sinclair também.

— Sinclair?

— Você não costuma vê-lo quando ele vai a Elvie?

— Vejo sim, claro. Darei lembranças suas a ele também.

— Peça para me escrever — disse, abaixando-me para brincar com Rusty, porque meus olhos estavam cheios de lágrimas, e não queria que David Stewart percebesse.

Depois que ele se foi, voltei para a cabana e me dirigi à mesa onde meu pai guardava todos os seus papéis. Em pouco tempo, encontrei, uma a uma, as quatro cartas sem resposta, todas abertas e, obviamente, lidas. Eu não as li. Meus instintos mais refinados prevaleceram — e de qualquer forma já sabia o que elas continham; então, apenas as coloquei de volta, escondidas sob os papéis, do modo como estavam.

Fiquei de joelhos no sofá ao lado da janela, abrindo-a e me debruçando para fora. Estava muito escuro... o mar negro, o ar frio... mas os meus pavores evaporaram. Pensei em Elvie e desejei estar lá. Lembrei-me dos gansos voando, cortando o céu no inverno, do cheiro da turfa queimando na lareira, no salão. Lembrei-me do lago, azul brilhante e calmo, como um espelho, ou cinza, açoitado pelas ondas brancas dos ventos do norte. Desejava estar lá, tanto e tão subitamente, que sentia quase uma dor física.

Estava com raiva do meu pai. Não queria deixá-lo, mas ele certamente poderia ter discutido o assunto comigo e me dado a chance de tomar uma decisão. Eu já estava com vinte e um anos, não era mais nenhuma criança, e me ressentia daquilo que achava ser uma atitude insuportavelmente egoísta e antiquada.

"Deixe só ele voltar", prometia a mim mesma. "Espere até eu colocá-lo cara a cara com aquelas cartas. Vou falar para ele que... Eu vou..."

Mas a minha raiva durou pouco. Nunca consegui guardar rancor do meu pai por muito tempo. Talvez, refrescada pelo ar da noite, a raiva acalmou-se e morreu, e fiquei me sentindo estranhamente entediada. Apesar de tudo, nada havia mudado. Ficaria com ele porque o amava, porque ele me queria ao seu lado, porque ele precisava de mim. Não havia nenhuma outra alternativa possível. Além do mais, não iria confrontá-lo com as cartas, porque ser descoberto iria envergonhá-lo e diminuí-lo, e era importante, se fôssemos ter algum tipo de futuro juntos, que ele fosse sempre maior, mais forte e mais sábio do que eu.

Estava ocupada, esfregando o chão da cozinha na manhã seguinte, quando ouvi o inconfundível rangido do velho Dodge descendo a ladeira e vindo pela estradinha até Reef Point. Esfreguei apressadamente os últimos centímetros quadrados do piso de linóleo marrom repleto de rachaduras, me levantei, torci o pano de chão, esvaziei a água suja no ralo, e saí pela porta dos fundos, secando as mãos no velho avental listrado, enquanto caminhava, para encontrar meu pai.

Era um dia lindo; o sol quente, o céu azul e com nuvens brilhantes e brancas deslizando ao vento. A manhã estava reluzente, repleta de vento e do ruído da ressaca das ondas que davam na praia. Já havia terminado de estender as roupas, que agora se agitavam e retesavam o varal, e me abaixava para poder passar por baixo delas e sair do outro lado, quando avistei o carro que vinha sacolejando e desviando dos sulcos da estrada em minha direção.

Logo percebi que meu pai não estava sozinho. Como o tempo estava bom, ele havia abaixado a capota e, ao seu lado, eu via a inconfundível cabeça de Linda Lansing, com seus cabelos vermelhos voando ao vento. Quando me viu, ela se debruçou sobre a porta do carro para acenar para mim, e seu *poodle* branco, que estava sentado sobre seus joelhos, pôs a cabeça para fora e desandou a latir, como se eu não tivesse nenhum direito de estar ali.

Rusty, que estava na praia brincando com os restos de uma cesta velha, ouviu o *poodle* e veio imediatamente em meu socorro, passando pela cabana a todo galope, rosnando e latindo, e avançando no Dodge com os dentes à mostra, mal podendo esperar pelo feliz momento em que pudesse enterrá-los no pescoço do cãozinho. Meu pai gritou um palavrão e Linda soltou um berro, agarrando o *poodle*, que ganiu. Tive que segurar o Rusty pela coleira, arrastá-lo para dentro e mandá-lo calar a boca e se comportar; caso contrário, não haveria a mais remota chance de se conversar.

Deixei Rusty resmungando lá dentro e voltei para fora. Meu pai já havia saído do carro.

— Oi, belezoca.

Ele veio me dar um abraço e um beijo. Era como se eu tivesse sendo abraçada por um gorila, e sua barba arranhava o meu rosto.

— Tudo em ordem?

— Tudo bem — eu disse, fugindo do seu abraço.

— Oi, Linda.

— Oi, querida!

— Peço desculpas pelo cachorro.

Fui abrir a porta para ela. Linda usava maquiagem em excesso, tinha cílios postiços e vestia um conjunto de moletom azul-claro e sapatilhas de balé. O *poodle* tinha uma coleira rosa, cravejada de pedras imitando diamantes.

— Tudo bem. Mitzi é bem comportada. Tem a ver com o fato de ter sido tão bem criada.

Ela virou o rosto, juntando os lábios para receber o meu beijo. Eu a beijei, e o *poodle* começou a ganir novamente.

— Pelo amor de Deus — disse meu pai —, faça essa maldita cachorra se calar.

Imediatamente, Linda colocou a cachorrinha no chão, sem maiores rodeios, e saiu do carro em seguida.

Linda Lansing era atriz. Há mais ou menos vinte anos, surgira em Hollywood como coadjuvante, o que envolveu uma campanha publicitária pessoal estupenda, seguida por uma série de filmes sem importância, nos quais normalmente fazia uma espécie de garota cigana ou camponesa, vestindo uma blusa com as alças caindo dos ombros, com lábios de um vermelho intenso, e trazendo no rosto uma expressão taciturna e aborrecida. Porém, inevitavelmente, esses tipos de filmes saíram de moda, e Linda com eles. Astutamente, porque burra nunca fora, casou-se em seguida. "Meu marido está acima da minha carreira", dizia a frase que ilustrava as fotos da cerimônia. Durante algum tempo, ela se ausentou completamente dos cenários de Hollywood. Mas, ultimamente, tendo se divorciado do terceiro marido e não tendo ainda laçado o quarto, ela começou a aparecer novamente em pequenos papéis e na televisão. Para uma geração mais jovem de espectadores, Linda era um rosto novo e, sob uma direção habilidosa, revelava um talento insuspeito para a comédia.

Nós a conhecemos numa daquelas festas matinais enfadonhas à beira da piscina, que já fazem parte da vida de Los Angeles. Logo que a viu, meu pai começou a assediá-la, como se ela fosse a única mulher no local com quem valesse a pena conversar. Eu também gosto dela. Ela tem um senso de humor vulgar, uma voz melosa e a surpreendente capacidade de rir de si própria.

Embora as mulheres pareçam achar meu pai atraente, ele sempre soube lidar com os seus relacionamentos com uma discrição admirável. Eu sabia que ele havia começado um relacionamento com Linda, mas não podia imaginar que ele a traria consigo para Reef Point.

— Que surpresa! O que a traz a esse fim de mundo? — perguntei, tentando aparentar calma.

— Ah, você sabe como é, querida, quando seu pai coloca uma idéia na cabeça... e sinta só esse cheiro de mar no ar.

Ela inspirou fundo, tossiu um pouco, e voltou para retirar, com dificuldade, sua bolsa de dentro do carro. Foi então que vi o excesso de bagagem empilhada no banco de trás. Três malas, uma capa para vestidos, um estojo de maquiagem, um casaco de pele de vison numa sacola plástica e uma cesta com apetrechos para a Mitzi, que incluía até um osso de borracha cor-de-rosa. Fiquei de queixo caído ao ver tanta tralha; mas, antes que eu pudesse falar qualquer coisa, meu pai abriu caminho, empurrando-me para o lado e já retirando duas malas de dentro do carro.

— Não fique aí parada de boca aberta — falou. — Carregue alguma coisa.

Tendo dito isso, caminhou em direção à cabana. Linda, depois de notar a expressão do meu rosto, decidiu que Mitzi precisava se exercitar e saiu de fininho em direção à praia, desaparecendo. Comecei a ir atrás do meu pai, mas, pensando melhor, resolvi voltar e apanhar a maleta da Mitzi.

Ao chegar, vi que meu pai havia deixado as duas malas no meio da sala de estar, jogado seu boné de pala longa sobre a cadeira, retirado uns maços de cartas antigas e papéis do bolso e despejado tudo sobre a mesa. A sala, que eu mal acabara de limpar e arrumar, em instantes se transformou numa bagunça e numa loucura só. Bastava entrar, e meu pai conseguia fazer qualquer lugar ficar daquele jeito. Agora, ele caminhava até a janela, se debruçava nela, dava uma checada na vista e enchia os pulmões com a brisa que vinha do mar. Por cima de seus ombros enormes, eu podia ver o vulto de Linda a distância, correndo e brincando com o *poodle* na beira do mar. Rusty, ainda aborrecido, sentado sobre o sofá que ficava à janela, sequer abanava o rabo.

Meu pai virou-se para mim, retirando um maço de cigarros do bolso da camisa. Ele parecia feliz consigo mesmo.

— Bem — disse ele —, você não vai me perguntar como foi tudo? — Acendeu um cigarro, olhou para cima, franzindo a testa, e atirou o fósforo aceso para trás, através da janela. — Por que você está aí parada, em pé, segurando a cesta da cachorrinha? Largue essa droga!

— O que está acontecendo? — perguntei, sem obedecer à sua ordem.

— Como assim?

Percebi que toda aquela animação era o prenúncio de um vendaval.

— Você sabe muito bem o que quero dizer. É a Linda.

— O que tem a Linda? Você gosta dela, não gosta?

— Claro que eu gosto dela, mas essa não é a questão. O que ela está fazendo aqui?

— Eu pedi para ela ficar.

— Com toda aquela bagagem? Por Deus, até quando?

— Bem... — respondeu, com um gesto indefinido da mão. — Pelo tempo que ela quiser.

— Ela não está trabalhando?

— Ah, ela largou aquilo tudo. — Ele foi até a cozinha em busca de uma lata de cerveja. Ouvi a porta da geladeira se abrir e fechar. — Ela se cansou de morar em Los Angeles, exatamente como nós. Então, pensei: por que não? — Ele surgiu de novo em frente à porta da cozinha, com uma lata de cerveja aberta na mão. — Eu tinha acabado de convidá-la para vir, quando ela encontrou alguém para alugar a sua casa, com empregada e tudo. E, então, fez as malas e veio comigo. Jane, você desenvolveu algum tipo de afeto pela cesta da cachorrinha? — perguntou, franzindo a testa.

Continuei a ignorá-lo.

— Por quanto tempo? — insisti, com raiva.

— Bem, pelo tempo que a gente for ficar aqui. Sei lá. Até acabar o inverno, talvez.

— Não há lugar — argumentei.

— Claro que há. E de quem é a casa, afinal de contas?

Ele bebeu o resto da cerveja e arremessou a lata, através da cozinha, dentro do cesto de lixo, saindo para buscar o resto da bagagem. Dessa vez, levou as malas para dentro do seu quarto. Larguei a cesta da Mitzi e o segui. Com a cama, as malas e nós dois, não havia muito espaço no cômodo.

— Onde ela vai dormir? — indaguei.

— Bem, onde é que você acha que ela vai dormir? — Ele se sentou na cama monstruosa, e as molas se queixaram amargamente. — Bem aqui.

Eu não sabia o que dizer. Simplesmente o encarei. Aquilo nunca havia acontecido antes. Achei que ele havia perdido o juízo.

Meu pai deve ter notado alguma coisa em meu semblante, porque pareceu arrependido e segurou as minhas mãos.

— Janey, não fique assim. Você não é mais nenhuma criança, e eu não tenho que ficar fingindo para você. Você gosta da Linda. Eu não a teria trazido comigo se não soubesse que você gosta dela. E ela vai lhe fazer companhia, não vou mais ter que deixar você sozinha. Deixe de fazer essa cara triste, vá lá e faça um pouco de café.

— Não tenho tempo — retruquei, puxando as minhas mãos.

— Como assim?

— Eu... tenho que fazer as malas.

Saí de seu quarto, fui até o meu, retirei minha mala que estava embaixo da cama e a abri, começando a arrumá-la, do modo como as pessoas fazem nos filmes, abrindo as gavetas, uma a uma, e despejando todo o seu conteúdo dentro da mala.

— O que você acha que está fazendo? — perguntou meu pai, em pé, atrás de mim, diante da porta aberta.

— Estou indo embora — respondi, virando-me para encará-lo, com as mãos cheias de camisas, cintos, cachecóis e lenços.

— Para onde?

— Vou voltar para a Escócia.

Ele deu um único passo para dentro do quarto e me virou, obrigando-me a encará-lo. Continuei o que estava fazendo, rapidamente, sem deixar que ele dissesse uma palavra.

— Você recebeu quatro cartas — prossegui —, três da minha avó e uma dos procuradores dela. Você as abriu, as leu e nunca me disse nada, porque você não queria que eu voltasse. Você nem discutiu o assunto comigo.

A pressão de suas mãos no meu braço não afrouxava, mas achei que seu rosto havia perdido um pouco da cor.

— Como é que você ficou sabendo das cartas?

Falei de David Stewart para ele.

— Ele me disse tudo — concluí. — Não que eu precisasse ser informada — acrescentei, sem pensar — porque eu já sabia de tudo.

— E exatamente do que você sabia?

— Que você nunca quis que eu ficasse em Elvie depois que a mamãe morreu. Que você jamais iria deixar que eu voltasse.

Ele me olhava confuso.

— Eu estava *ouvindo* — gritei para ele, como se, de repente, ele tivesse ficado surdo. — Estava no *hall* e escutei tudo que você e minha avó falaram um para o outro.

— E você não me disse nada?

— Que diferença teria feito?

Ele se sentou cuidadosamente na beira da minha cama, para não me atrapalhar enquanto eu arrumava a mala.

— Você queria ser deixada para trás?

Sua obtusidade me enfurecia.

— Não, claro que não queria. Sempre gostei de ficar com você, e não teria feito diferente, mas isso tudo foi há sete anos; agora sou adulta, e você não tinha nenhum direito de esconder aquelas cartas de mim e não me falar nada.

— Você quer mesmo voltar?

— Quero sim. Eu adoro Elvie, e você sabe o quanto aquele lugar significa para mim. — Peguei uma escova de cabelos, minhas fotos, e as espremi para que coubessem na mala. — Eu... não ia falar nada das cartas. Achei que isso fosse deixar você muito mal, e eu não poderia ir mesmo, porque você não tinha ninguém para cuidar de você. Mas agora é diferente.

— Tudo bem, então é diferente, e você vai. Eu não vou impedir, mas como é que você vai fazer para viajar para lá?

— David Stewart vai sair de La Carmella às onze horas. Se eu me apressar, poderei alcançá-lo. Ele reservou um lugar para mim no vôo para Nova Iorque amanhã pela manhã.

— E quando é que você volta?

— Ah, sei lá. Um dia, acho.

Espremi dentro da mala um livro, *Gift from the sea*, da Anne Morrow Lindbergh, do qual nunca me separava, e o meu CD do Simon e Garfunkel. Abaixei a parte de cima da mala, mas as coisas se avolumavam e saíam, e ela não fechava. Então a abri de novo, amassei as coisas furiosamente, e, ainda assim, não funcionava; no fim, foi meu pai quem fez isso para mim, com o simples uso da força bruta, empurrando a tampa da mala para baixo e forçando as travas.

Nossos olhares se cruzaram por sobre a mala fechada.

— Eu não iria, se a Linda não tivesse vindo... — falei.

Com a voz embargada, retirei o meu casaco do gancho atrás da porta e o vesti por cima da camisa e da calça *jeans*.

— Você ainda está usando o avental — disse meu pai.

Era o tipo de coisa que, em outro momento, nos teria feito rir. Mas, ali, naquele silêncio mortal, desatei-o, arrancando-o, e atirei-o sobre a cama.

— Se eu levar o carro e deixá-lo no hotel, você ou a Linda poderá ir lá apanhá-lo? — perguntei.

— Claro — respondeu meu pai... e então —, espere aí... — Ele foi até o seu quarto novamente e voltou com a mão cheia de dinheiro, em notas de cinco, de dez e de um dólar, todas sujas e amarrotadas, como um monte de jornal velho. — Tome — falou, e enfiou-as no bolso do meu casaco —, é melhor você levar isso. Poderá precisar.

— Mas você... — eu disse, mas naquele momento, Linda e Mitzi resolveram voltar da praia. Mitzi, espalhando areia por todo lado, e Linda, encantada, depois de sua breve comunhão com a natureza.

— Ah, que ondas, eu nunca tinha visto nada parecido. Elas devem ter uns três metros de altura. — Ela notou, então, a minha mala, meu casaco e meu semblante visivelmente arrasado. — Jane, o que você está fazendo?

— Estou indo embora.

— Para onde, meu Deus?

— Para a Escócia.

— Espero que não seja por minha causa.

— Em parte, sim. Mas só porque agora há alguém para cuidar do papai.

Ela pareceu ter ficado um pouco sem graça, como se cuidar do papai fosse a última coisa que ela esperasse fazer, mas tentou, com muito esforço, disfarçar.

— Bem, vai ser legal para você. Quando é que você vai?

— Hoje. Agora. Eu vou com o Dodge até La Carmella... — Eu já havia começado a me afastar, porque a situação estava ficando pior do que eu poderia suportar. Meu pai apanhou a minha mala e me acompanhou. — E espero que vocês tenham um bom inverno. E que não haja muitas tempestades. Tem ovos e atum enlatado na geladeira.

Fui andando de costas, descendo os degraus da varanda dos fundos. Saí da casa, me virei e passei por baixo das roupas penduradas no varal (será que Linda teria o bom senso de recolhê-las?), e me sentei ao volante do carro; meu pai ergueu a mala e a colocou no banco de trás.

— Jane.

Não tive coragem de me despedir. Já estava saindo com o carro, quando me lembrei de Rusty. Mas, então, já era tarde demais. Ele havia me ouvido, ouvido a porta do carro, ouvido o motor sendo ligado, e saído da casa e vindo atrás de mim, como uma bala, latindo com indignação, correndo ao lado do carro, com as orelhas abaixadas e se arriscando a sofrer uma morte quase certa.

Aquilo foi a gota d'água. Parei o carro. Meu pai veio atrás do cachorro, gritando: "Rusty!" Rusty ficou de pé sobre as patas traseiras, arranhando e riscando a porta do carro com as unhas.

— Oh, Rusty! Não faça isso. Desça. Eu não posso levar você comigo — disse, debruçando-me sobre a porta e tentando afastá-lo.

Meu pai, que vinha correndo, já havia nos alcançado. Ele tomou Rusty nos braços e ficou de pé, olhando-me de cima. Os olhos de Rusty estavam cheios de mágoa e recriminação, mas meu pai trazia no rosto uma expressão que eu nunca tinha visto antes, e que não compreendi completamente. Mas eu sabia, naquele momento, que não queria me despedir de nenhum dos dois, e desandei a chorar.

— Você vai cuidar de Rusty, não vai? — perguntei, berrando, com os lábios trêmulos. — Segure-o para que ele não siga o carro. E não o deixe ser atropelado. E ele só gosta de comida para cachorros da marca Red Heart; da outra, não. E não o deixe sozinho na praia, alguém pode roubá-lo.

Procurei, em vão, por um lenço. Como de costume, eu não tinha nenhum comigo; como de costume, meu pai tirou um do bolso e me deu, em silêncio. Assoei o nariz, estiquei os braços e o puxei para baixo para beijá-lo, e ao Rusty também. E eu disse adeus.

— Tchau, minha coelhinha — falou meu pai. Algo que ele não dizia desde que eu tinha seis anos de idade. E chorando mais alto ainda, mal enxergando o caminho à frente, não olhei para trás, mas sabia que eles ficaram lá, olhando, até eu descer a ladeira e sumir de vista.

Eram quinze para as onze quando entrei na recepção do hotel, e o homem atrás do balcão olhou com naturalidade para o meu rosto manchado de lágrimas, como se mulheres entrassem e saíssem chorando de lá o tempo todo.

— O Senhor David Stewart já saiu? — perguntei.

— Não, ele ainda está aqui. Ainda tem uma conta de telefone para acertar.

— Qual é o número do quarto dele?

— Trinta e dois — respondeu, olhando para o quadro com as chaves na parede. Seus olhos vasculharam meu casaco, minha calça *jeans* e meus tênis manchados. Por fim, esticou a mão para pegar o telefone. — Você quer vê-lo?

— Quero sim, por favor.

— Eu vou ligar para ele... vou avisar que você está indo... Qual é o seu nome?

— Jane Marsh.

Ele indicou com a cabeça a direção da porta, mostrando-me o caminho.

— Quarto trinta e dois — repetiu.

Saí, meio perdida, seguindo por um caminho coberto, que passava ao lado de uma piscina muito azul e grande. Duas mulheres estavam deitadas em umas espreguiçadeiras, e seus filhos nadavam, gritavam e brigavam por uma bóia de borracha. Na metade do caminho, David Stewart veio me encontrar. Quando o vi, comecei a correr, e, para surpresa das duas mulheres, e também para minha própria, corri direto para os seus braços. Ele pegoume e me deu uma espécie de abraço reconfortante.

— O que há de errado? — perguntou, me soltando.

— Nada não. — Mas comecei a chorar de novo. — Eu vou com você.

— Por quê?

— Mudei de idéia, só isso.

— Por quê?

Eu não queria contar para ele, mas tudo começou a escapulir.

— Papai tem uma amiga, e ela veio de Los Angeles... e ela... e ela disse...

— Venha comigo — falou, olhando na direção das duas mulheres bisbilhoteiras, e me levou de volta à privacidade do seu quarto, fazendo-me entrar e fechar a porta.

— Continue — disse.

— É só porque ele tem quem cuide dele. Agora posso ir com você — prossegui, assoando o nariz e fazendo um esforço enorme para me recompor.

— Você falou das cartas para ele?

— Falei.

— E ele não se importou em deixar você ir?

— Não. Ele disse que está tudo bem.

David ficou em silêncio. Olhei para ele e vi que tinha virado o rosto, e estava agora me observando de forma pensativa, pelo canto do olho direito. Descobri, mais tarde, que isso era um hábito que ele havia adquirido ao longo dos anos, devido a um problema de vista e ao fato de que tinha de usar óculos, mas, naquele momento, isso me deixava sem graça e desconfortável; era como ser pregada na parede.

— Você não quer que eu vá com você? — perguntei, sentindo-me arrasada.

— Não é isso. É só porque não a conheço o bastante para saber se você está falando a verdade.

Eu estava triste demais para me sentir ofendida.

— Eu nunca minto — disse, e, então, retificando — e quando minto fico vermelha e evasiva. Além disso, meu pai realmente disse que estava tudo bem. — E, para provar isso, pus a mão no bolso do casaco e retirei o maço de dólares sujos. Algumas notas caíram, como folhas secas, sobre o carpete. — Ele me deu algum dinheiro para gastar.

David se abaixou, apanhou as notas e devolveu-as para mim.

— Eu ainda acho, Jane, que devo insistir em vê-lo antes de partirmos. Podíamos...

— Eu não iria conseguir me despedir de novo.

Seu rosto perdeu um pouco de sua aparência severa.

— Fique aqui, então. Não vou levar mais do que quinze minutos — ele disse, tocando em meu braço.

— Promete?

— Prometo.

Ele saiu, e eu fiquei vagando pelo quarto que ele ocupava. Li um pouco de jornal, olhei através da porta aberta, entrei no banheiro, lavei o rosto e as mãos, penteei o cabelo e o prendi com um elástico que encontrei. Depois saí, me sentei perto da piscina e esperei por ele. Quando ele voltou e terminou de colocar a nossa bagagem no carro, eu me sentei ao seu lado e pegamos a auto-estrada para o sul, em direção a Los Angeles. Passamos a noite em um hotel perto do aeroporto. No dia seguinte, voamos para Nova Iorque e, uma noite depois, para Londres. E foi só depois de termos sobrevoado metade do Atlântico que me lembrei do rapaz que estaria vindo no domingo seguinte para me levar para surfar.

4

Eu havia morado a maior parte da minha vida em Londres; mas, agora que voltava para lá, era como se estivesse chegando a uma cidade desconhecida, de tão mudada que estava. Os prédios do aeroporto, as vias de acesso, a silhueta dos prédios ao longe, os imensos edifícios de apartamentos, a intensidade do tráfego... tudo isso havia surgido ao longo dos últimos sete anos. No táxi, sentei-me encolhida num canto, com a minha mala aos meus pés. Havia tanta neblina, que as luzes da rua ainda estavam acesas, e fazia aquele frio úmido do qual já me havia esquecido.

Eu não havia dormido no avião e estava tonta de cansaço, sentindo-me enjoada por causa das refeições estranhas que me serviram às duas horas da manhã, de acordo com o meu relógio, que eu mantinha no fuso horário da Califórnia. Meu corpo, minha cabeça e meus olhos estavam doloridos por causa da viagem. Sentia meus dentes viscosos, e era como se eu estivesse usando as mesmas roupas há séculos.

Passamos por *outdoors*, viadutos, casas geminadas, e Londres nos cercava. O táxi parou em alguns sinais de trânsito, desceu por uma ladeira silenciosa, com carros estacionados em ambos os lados, e parou em frente a um sobrado, que fazia parte de um conjunto de casas do início do período vitoriano.

Eu as observava, ainda meio lerda, e me perguntava o que deveria fazer em seguida.

— É aqui que a gente fica — disse David, debruçando-se sobre o banco e abrindo a porta para mim.

— Hã?

Olhei para ele e me perguntei como um homem que compartilhara comigo aquilo que — para mim — havia sido uma desgastante experiência de voar, sem escalas, meio mundo, poderia continuar com a aparência limpa, relaxada, e ser ainda dono da situação. Saí obedientemente do táxi e fiquei em pé na calçada, como uma coruja, mal conseguindo abrir os olhos e bocejando, enquanto ele pagava ao motorista, pegava as nossas malas e descia um lance de escadas em direção a um apartamento térreo. Os corrimãos eram de um preto reluzente, a área em frente à porta de entrada estava limpa e varrida, e havia um vaso de madeira cheio de gerânios... com um pouco de fuligem, mas ainda vivazes e alegres. Ele retirou uma chave do bolso, a porta amarela se abriu para dentro, e eu o segui cegamente, entrando no apartamento.

As paredes eram pintadas de branco e tinham cheiro de casa de campo. Havia tapetes persas espalhados pelo chão, mantas de *chintz* cobrindo o sofá e as poltronas, pequenas peças de mobília antigas e polidas e um espelho veneziano sobre a lareira. Pude notar livros e uma pilha de revistas, uma cristaleira repleta de taças, pequenas peças de tapeçaria feitas à mão e, além das janelas, num canto distante da sala, um jardim de inverno em miniatura, com um plátano, cercado por um banco de madeira e uma estatueta colocada no canto de uma parede de tijolos aparentes desbotados.

Continuei em pé, bocejando. Ele foi abrir uma janela.

— Este apartamento é seu? — perguntei.

— Não, é da minha mãe. Mas fico aqui quando venho a Londres.

— Onde está sua mãe? — indaguei, olhando ao redor, meio distraída.

Soou como se eu esperasse que ela estivesse se escondendo embaixo do sofá, mas ele não riu.

— Ela está de férias no sul da França. Por que você não tira o casaco? Fique mais à vontade. Vou preparar uma xícara de chá.

Ele desapareceu por uma porta. Ouvi o som de uma torneira se abrindo. Uma xícara de chá! Eu estava brincando com os botões do meu casaco e acabei por desabotoá-los. Despi-me dele e o pendurei sobre uma cadeira estilo *Chippendale*. Atirei-me no sofá. Sobre ele havia várias almofadas de veludo verde-folha. Apanhei uma delas e a ajeitei, repousando a cabeça, mas acho que adormeci antes mesmo de ter tido tempo de levantar os meus pés do chão. Por certo, não me lembro de ter feito isso.

Quando acordei, a luz havia mudado. Um raio de sol alongado dançava na poeira em suspensão, projetando-se, como um holofote, na minha linha de visão. Eu me mexi, esfreguei os olhos e fixei o olhar novamente, e vi uma manta sobre mim, quente e clara.

Na lareira, uma chama tremulava. Fiquei observando-a por algum tempo, até que percebi que era elétrica, com lenha, carvão e chamas artificiais. Naquela hora, parecia infinitamente aconchegante. Virei um pouco a cabeça e vi David afundado em uma poltrona, submerso em papéis e pastas. Ele havia trocado de roupa — uma camisa azul e um suéter creme com gola em V. Eu me perguntei, um tanto indiferente, se ele era daquele tipo de gente que nunca precisa dormir. Virou-se para mim ao notar que eu havia me mexido.

— Que dia é hoje? — perguntei.

— Quarta-feira — respondeu, parecendo achar graça.

— Onde estamos?

— Em Londres.

— Não, digo, perto de onde?

— Kensington.

— Já moramos em Melbury Road. Fica longe daqui?

— Não. Bem próximo.

— Que horas são? — perguntei, depois de um tempo.

— Quase cinco.

— Quando vamos para a Escócia?

— Hoje à noite. Temos reservas no expresso Royal Highlander.

Com um esforço enorme, eu me sentei, bocejei, tentei varrer o sono do meu corpo e tirar os cabelos do rosto.

— Será que eu poderia tomar um banho? — perguntei.

— Claro que sim — respondeu.

Assim o fiz, usando água muito quente que não fazia espuma direito e um monte de sais de banho de sua mãe que ele gentilmente cedeu. Quando terminei o banho, peguei a minha mala, achei algumas roupas limpas para vestir, espremi todas as outras roupas sujas de volta e, de algum modo, consegui fechá-la novamente. Voltei para a sala de estar e descobri que David havia preparado um chá, com torradas quentes com manteiga e um prato com biscoitos de chocolate — os de verdade, não aquelas rosquinhas com aroma de chocolate que se vendem na América, mas biscoitos puros, cobertos com chocolate de verdade.

— Estes biscoitos são da sua mãe? — perguntei.

— Não. Saí e comprei enquanto você estava dormindo. Há uma loja aqui perto, muito boa, principalmente quando se está com a casa vazia.

— Sua mãe sempre morou aqui?

— Não. Só mora aqui há um ano, ou quase isso. Ela tinha uma casa em Hampshire, que acabou ficando grande demais para ela, e o jardim era uma dor de cabeça... não é fácil conseguir quem ajude. Aí, ela vendeu a casa, manteve algumas coisas de que gostava muito e se mudou para cá.

Isso explicava aquela atmosfera de casa de campo.

— E ela tem um jardim — eu disse, olhando para o pequeno pátio.

— É, pequeno. Mas ela mesma pode cuidar dele.

Peguei outra torrada e fiquei tentando imaginar a minha avó naquela situação. Mas não era possível. Minha avó nunca se daria por vencida por causa do tamanho de sua casa ou pela quantidade de coisas a fazer, ou pela dificuldade em se conseguir, e manter, cozinheiros e jardineiros. De fato, pelo que me lembro, a Senhora Lumley sempre trabalhou para ela, sustentando-se sobre as pernas inchadas, esticando massa sobre a mesa da cozinha. E Will, o jardineiro, tinha sua própria casinha e um terreno, onde plantava batatas, cenouras e enormes crisântemos.

— Então, você nunca morou neste apartamento?

— Não, mas fico aqui quando venho a Londres.

— Você vem para cá com freqüência?

— Mais ou menos.

— Você não encontra o Sinclair às vezes?

— Encontro.

— O que ele anda fazendo?

— Ele trabalha para uma agência de propaganda. Achei que você soubesse.

Ocorreu-me que eu poderia ligar para ele. Afinal de contas, ele estava morando em Londres, eu levaria só alguns instantes para encontrar seu número na lista. Pensei em fazer isso, mas então desisti da idéia. Não estava completamente certa acerca da reação que Sinclair teria, e não queria que David Stewart presenciasse uma possível frustração de minha parte.

— Ele tem namorada? — perguntei.

— Acho que sim. Muitas.

— Não, você não me entendeu. Alguém em especial?

— Jane, realmente, não sei.

— Você acha que ele irá até a Elvie enquanto eu estiver lá? — indaguei, pensativa, lambendo a manteiga quente das pontas dos dedos.

— É provável que sim.

— E o pai dele? O tio Aylwyn ainda está no Canadá?

— Aylwyn Bailey morreu, há, mais ou menos, três meses — disse David, ajeitando os óculos no nariz.

— Meu Deus! Eu não sabia! Coitada da vovó. Ela ficou muito triste? — perguntei, com os olhos arregalados.

— Ficou, ela...

— E o velório e todo o resto...

— Foi no Canadá. Já fazia algum tempo que ele estava doente. Ele nunca conseguiu voltar para casa.

— Então, Sinclair nunca mais o viu?

— Não.

Digeri a informação e me entristeci. Pensei no meu próprio pai e no fato de que, apesar de ele me deixar com raiva às vezes, por nada neste mundo eu teria perdido um momento sequer que passamos juntos, e me senti mais triste ainda por Sinclair. Então me lembrei de que, nos velhos tempos, era eu quem o invejava, porque, enquanto eu apenas passava as férias em Elvie, ele morava lá. E, a despeito do fato de não ter a figura de um pai por perto, o lugar estava sempre cheio de homens: o Will, o jardineiro, que adorávamos; Gibson, o encarregado, um homem durão, mas sensato sob todos os aspectos; os dois filhos de Gibson, Hamish e George, que tinham, mais ou menos, a idade de Sinclair, e sempre o convidavam para tomar parte em todas as suas estripulias, permitidas ou não. Foi assim que ele aprendeu a atirar, a arremessar uma linha de pesca, a jogar críquete, a subir em árvores e, de qualquer forma, foi muito mais paparicado do que a maioria dos meninos da sua idade. Não, levando-se tudo em consideração, nunca lhe havia faltado nada.

* * *

Pegamos o expresso da Royal Highlander na estação de Euston, e passei a metade da noite levantando da cama para olhar pela janela, alegrando-me com o fato de que o trem estava rumando para o norte, e nada, a não ser um catastrófico ato divino, poderia pará-lo. Em Edimburgo, uma voz feminina me acordou, dizendo: "Edimburgo Waverley. Estação de Edimburgo Waverley", e vi que estava na Escócia. Então, levantei-me, vesti o meu casaco por cima da camisola, sentei-me sobre a pia e fiquei olhando as luzes de Edimburgo ficarem para trás, esperando pela ponte, quando, de repente, o trem, fazendo um ruído completamente diferente, mergulhou através do rio Forth, com as suas águas, apenas um brilho no escuro, há metros e metros abaixo de nós; uma luminescência da água escura tocada pelas luzes de embarcações minúsculas que transitavam pelo lugar.

Voltei para a cama e cochilei até chegarmos a Relkirk, quando então me levantei novamente, abri a janela e deixei entrar o ar frio e carregado com o cheiro de turfa e pinho. Estávamos no sopé das Terras Altas. Eram apenas cinco e quinze, mas me vesti e passei a última parte da viagem com o rosto colado no vidro escuro da janela respingada de chuva. No início, quase não dava para se ver nada, mas, no instante em que o trem rangeu, atravessando o desfiladeiro, e começou a longa descida pelo suave declive que levava finalmente a Thrumbo, o dia começou a clarear. Não havia nem sinal do sol, apenas um imperceptível desbotamento da escuridão. As nuvens sobre os cumes dos montes pareciam densas, macias e cinzentas; enquanto descíamos rapidamente em direção ao vale, elas se tornavam mais esparsas e se reduziam a nada, e a grande e vasta extensão do vale jazia diante de nós, dourado e tranqüilo à luz do amanhecer.

Ouvi uma batida na porta, e o cabineiro apareceu.

— O cavalheiro está querendo saber se a senhorita está acordada. Estaremos chegando a Thrumbo em aproximadamente dez minutos. Quer que eu leve a sua mala?

Ele a levou, fechando a porta, e eu voltei para a janela, porque agora a zona rural estava se tornando bastante familiar, e eu não queria perder nada. Já havia caminhado naquela parte da estrada, cavalgado num pônei das Terras Altas naquele campo e tomado chá naquele chalé branco. Então, chegou a ponte que demarcava os limites do vilarejo, o posto de gasolina e o hotel de luxo que vivia lotado de hóspedes idosos, onde não se podia comprar nenhum tipo de bebida.

A porta se abriu novamente e David Stewart surgiu, tomando todo o espaço do corredor.

— Bom-dia.

— Oi.

— Dormiu bem?

— Dormi.

Agora, o trem já começava a diminuir a velocidade, freando. Passamos pela cancela sob a ponte. Eu me deixei escorregar de cima do lavatório e o segui pelo corredor e, por sobre os seus ombros, via o sinal que indicava Thrumbo passar de forma imponente. Então, o trem parou. Havíamos chegado.

Ele deixara o carro no estacionamento; então me abandonou no pátio da estação enquanto foi lá buscá-lo. Sentei-me sobre a mala no vilarejo deserto que despertava lentamente, observando as luzes se acenderem, uma a uma, as chaminés fazendo fumaça, e um homem que descia a rua numa bicicleta, bamboleando. Depois, ouvi, bem acima de mim, um grasnar e tagarelar que foram ficando cada vez mais altos, passando por sobre a minha cabeça, mas não conseguia ver a formação dos gansos selvagens, porque eles estavam voando bem acima das nuvens.

Há, aproximadamente, três quilômetros do vilarejo de Thrumbo, ficava o lago Elvie, uma extensão de água erma, circundada, ao norte, pela estrada principal que levava a Inverness, protegido, na margem oposta, pelos grandes bastiões de Cairngorms. Elvie, em si, era quase uma ilha, no formato de um cogumelo, unido ao continente pelo seu talo — uma estreita restinga, que não passava de uma ponte entre os charcos cheios de juncos, abrigo de centenas de pássaros.

Durante muitos anos, a propriedade pertencera à Igreja e, de fato, ainda havia ruínas de uma capelinha, agora sem teto e abandonada, embora o pequeno cemitério ao redor dela ainda estivesse conservado e limpo, com os teixos bem podados, a grama, macia como um veludo, aparada e, na primavera, alegre, com as flores de narcisos silvestres balançando ao vento.

A casa onde minha avó morava costumava ser a residência paroquial dessa igrejinha. Com o passar dos anos, no entanto, ela superou a sua sede modesta, com alas e quartos extras que foram sendo acrescentados para hospedar, acredita-se, várias famílias vitorianas. Vista da estrada de acesso, ela parecia alta e intimidadora, com janelas pequenas e afastadas voltadas para o norte, para poder conservar o calor durante os invernos rigorosos, e a porta da frente, aparentando segurança e simplicidade, geralmente bem fechada. Essa aparência de fortaleza era realçada pelos muros altos do jardim, que, como braços, se estendiam da casa à direita e à esquerda. Nesses muros, nem mesmo a minha avó conseguia plantar uma trepadeira sequer que vingasse.

Mas, vista do outro lado, o aspecto de Elvie era completamente diferente. A velha casa branca, protegida, cercada e virada para o sul, e ainda adormecida, pestanejava ao sol. Janelas e portas ficavam abertas à brisa fresca, e o jardim descia até uma vala rasa que separava a propriedade de um pasto estreito onde um fazendeiro vizinho deixava seu gado. O pasto descia até a margem do lago, e o ruído das marolas nos seixos, o ruminar e os mugidos suaves do gado faziam tanto parte da vida em Elvie, que depois de algum tempo até se parava de ouvi-los. Era só quando retornava ao lugar após ter passado um tempo fora que se voltava a ter consciência de todos esses sons.

O carro de David Stewart me surpreendeu. Um T.R.4 azul-escuro, inesperadamente veloz para um cidadão aparentemente tão sóbrio. Colocamos as nossas malas e deixamos Thrumbo. No carro, eu me inclinava para a frente, mal contendo a emoção. Os pontos de referência conhecidos surgiam e ficavam rapidamente para trás. A oficina, a loja de doces e a fazenda dos McGregors. Logo depois, entramos na região rural. A estrada serpenteava, subindo através dos campos dourados com os restos da colheita. As cercas vivas estavam salpicadas de rosas silvestres; havia geado recentemente, porque as árvores já tinham sido tocadas pelos tons de dourado e vermelho das primeiras cores do outono.

Então, dobramos na última esquina e o lago surgiu um pouco distante, à nossa direita. Estava cinza como a manhã, e as montanhas, ao longe, se perdiam nas nuvens. E finalmente, há menos de um quilômetro de distância, estava Elvie, a casa ocultada pelas árvores e pela igreja sem telhado, parecendo bucolicamente abandonada. A emoção me deixou sem fala e, demonstrando ter rara compreensão daquilo que se passava comigo, David Stewart não fez nenhum tipo de comentário. Havíamos percorrido uma distância muito grande juntos; tão grande, de fato, que era difícil de compreender, mas foi em silêncio que, finalmente, viramos na altura do chalé à beira da estrada e o carro serpenteou descendo a rua, com as cercas vivas de ambos os lados, para, em seguida, atravessar a passagem entre os charcos, subir a pequena alameda de faias vermelhas e parar bem próximo à porta da frente.

Desci rapidamente do carro e atravessei correndo o trecho coberto de cascalhos em frente à porta da casa, mas a minha avó foi mais rápida. A porta se abriu, ela surgiu e nos encontramos num abraço apertado. Ela, que cheirava aos sachês perfumados que guardava com as roupas, ficou repetindo o meu nome. Eu dizia a mim mesma que nada havia mudado.

5

Um reencontro depois de tantos anos é sempre uma confusão. Dizíamos coisas do tipo: "Oh, você veio mesmo..." "Você fez uma boa viagem?..." "Nada mudou..." Entre um abraço e outro, ríamos de nossas próprias tolices.

Pouco depois, os cachorros juntaram-se ao tumulto, saindo da casa correndo, latindo aos nossos pés e exigindo a nossa atenção. Eram *spaniels* de pêlos cinza-escuros e brancos, estranhos para mim e, ao mesmo tempo, familiares, já que sempre houvera cães daquele tipo em Elvie, e esses, sem dúvida, descendiam dos que eu havia conhecido. Mal começara a brincar com os cachorros, a senhora Lumley, que ouvira toda aquela algazarra, juntou-se a nós, incapaz de resistir à tentação de participar daquela festa de recepção. Ela, que vinha saindo da casa estampando um sorriso de orelha a orelha, parecia mais gorda em seu avental verde. Depois que a beijei, ela me disse que eu havia crescido muito e que estava com mais sardas do que nunca. Disse, também, que estava preparando um café da manhã bem farto.

Minha avó foi ao encontro de David, que estava retirando calmamente a minha mala do carro.

— David, você deve estar exausto — disse ela, beijando-o no rosto, para minha surpresa. — Obrigada por trazê-la de volta em segurança.

— Você recebeu o meu telegrama?

— Recebi, claro. Estou de pé desde as sete horas. Entre e venha tomar o café conosco. Estamos esperando por você.

Ele se desculpou, alegando que a arrumadeira o aguardava em casa e que deveria se trocar antes de ir para o escritório.

— Bem, então venha para o jantar hoje à noite. Eu insisto. Por volta das sete e meia. Queremos saber das novidades.

Ele se deixou persuadir e nos olhamos, sorrindo. Ocorreu-me, com algum estranhamento, que, embora o conhecesse há apenas quatro dias, era como se estivesse me despedindo de alguém que conhecesse a vida inteira. Ele recebera uma missão difícil e a cumprira com tato e bom humor e, até onde sei, sem me magoar em nenhum momento.

— Oh, David... — eu disse, emocionada.

— Vejo você hoje à noite, Jane — respondeu rapidamente, interrompendo os meus agradecimentos.

Em seguida, ele se afastou, entrou no carro e bateu a porta. Ficamos paradas, olhando, enquanto o carro passava sob as faias, pegava a estrada e virava na curva, sumindo de vista.

— Bom homem — disse minha avó, pensativa —, você não acha?

— Acho, sim. Muito meigo — respondi, correndo para impedir que a senhora Lumley apanhasse a minha mala. Eu mesma a levei para dentro da casa.

Minha avó e os cachorros me acompanharam, a porta foi fechada, e David Stewart por hora foi esquecido.

Fui tomada de assalto pelo cheiro da fumaça de turfa que vinha da lareira no *hall* e pelo perfume das rosas que estavam num jarro grande sobre a arca, próximo ao relógio. Um dos cachorros estava arfando, com o rabinho balançando, querendo chamar minha atenção, numa agitação que não tinha fim. Parei para coçar suas orelhas, e estava prestes a falar do Rusty para ele, quando minha avó disse:

— Eu tenho uma surpresa para você, Jane.

Eu me levantei, olhei para cima e vi um homem descendo as escadas em minha direção, com sua silhueta projetada pela luz que saía de uma janela. Por alguns momentos, minha visão ficou ofuscada por essa luz.

— Oi, Jane — disse uma voz masculina, e percebi que era o meu primo Sinclair.

Fiquei parada, de boca aberta, enquanto minha avó e a senhora Lumley me observavam, encantadas com o sucesso da surpresa que haviam planejado para mim. Ele, que já estava ao meu lado, me segurou pelos ombros e se abaixou para me beijar, antes que eu tivesse fôlego para dizer, bem baixinho:

— Eu pensei que você estivesse em Londres...

— Mas não estou. Estou aqui.

— Mas, como...? Por quê...?

— Tirei uns dias de folga.

Por minha causa? Ele havia tirado uns dias de folga para que pudesse estar em Elvie quando eu chegasse? Tal possibilidade me deixava, ao mesmo tempo, lisonjeada e emocionada. Porém, antes que eu pudesse falar qualquer coisa, minha avó começou a nos despachar.

— Não tem por que ficarmos parados aqui... Sinclair, por que você não leva a mala da Jane até o quarto dela? E aí, então, depois que você tiver lavado as mãos, querida, desça e venha tomar o seu café. Essa viagem deve tê-la deixado exausta.

— Não estou cansada.

E, de fato, não estava. Eu me sentia viva, bem desperta e pronta para qualquer coisa. Sinclair apanhou minha mala e subimos, juntos, para o meu quarto. Eu ia atrás, seguindo suas pernas compridas, como se eu tivesse asas nos pés.

Meu quarto, que dava vista para o jardim e o lago, estava impecavelmente arrumado e encerado. No entanto, havia sido mantido do modo como eu o deixara. A cama, pintada de branco, ainda estava com a cabeceira voltada para o vão da janela, que era onde eu sempre gostava de dormir. A alfineteira ainda estava em cima da penteadeira, os sachês de lavanda no armário e o tapete azul cobrindo a parte gasta do carpete.

Enquanto eu tirava o casaco e lavava as mãos, Sinclair se atirou sobre a minha cama, amarrotando a colcha branca engomada, e ficou me observando. Nos sete anos que se passaram, ele havia mudado, é claro, mas as mudanças eram tão sutis, que mal dava para apontá-las com precisão. Com certeza, ele havia emagrecido e adquirido pequenas rugas ao redor da boca e nos cantos dos olhos. Mas isso era tudo. Ele era muito bonito, com sobrancelhas e cílios negros e os olhos de um azul profundo, um pouco repuxados, de forma tentadora. Seu nariz formava um ângulo reto, e sua boca, que fazia uma espécie de curva para baixo, possuía um lábio inferior que, quando jovem, conferia-lhe um ar muito sério. Seus cabelos eram espessos e lisos. Ele os havia deixado crescer, mantendo-os presos sob a gola da camisa, na altura da nuca. Como estava acostumada aos cortes da moda em Reef Point, que eram ou rente (surfistas), ou na altura dos ombros (*hippies*), achei o efeito interessante. Naquela manhã, ele usava uma camisa azul com um lenço de algodão amarrado ao pescoço e calças de tecido canelado desbotadas e presas à cintura por um cinto trançado feito de lã.

— Você está mesmo de folga? — indaguei, tentando obter uma confirmação daquilo que esperava que fosse verdade.

— Claro — respondeu rapidamente, sem confirmar nada.

— Você está trabalhando numa agência de propaganda? — perguntei, conformada com seu modo evasivo.

— Estou, na Strutt and Seward, como assistente do diretor administrativo.

— O emprego é bom?

— Dá direito a um fundo para despesas de representação.

— Quer dizer que você pode usar o fundo para pagar almoços regados à bebida com futuros clientes?

— Não precisa ser regado à bebida. Se a futura cliente for bonita, pode ser também algo como um jantar íntimo à luz de velas.

Tive que me esforçar muito para disfarçar uma ponta de ciúme. Estava sentada em frente à penteadeira, desembaraçando as tranças compridas e pesadas dos cabelos.

— Já nem me lembrava do quanto eles eram longos. Você costumava usar rabo-de-cavalo. Agora, eles parecem seda.

— Às vezes, chego a jurar que vou cortar estas tranças, mas acabo nunca cumprindo a promessa.

Terminei de pentear os cabelos, larguei o pente sobre o móvel e subi na cama também, ajoelhando-me para abrir a janela e me debruçar sobre o peitoril.

— Que cheiro delicioso — exclamei —, tão úmido, tão outono!

— A Califórnia não é assim também?

— Na maioria das vezes, você só sente cheiro de gasolina — respondi. Mas, em seguida, lembrando-me de Reef Point, retifiquei: — Quando não cheira a eucaliptos e ao Pacífico.

— E como é viver entre os peles-vermelhas?

Dirigi-lhe um olhar sério, desafiando-o a iniciar qualquer tipo de ofensa, mas ele desistiu da idéia.

— Sinceramente, Jane, eu estava com muito medo de que você voltasse mascando chicletes e com uma máquina fotográfica a tiracolo, falando "Credo, Sin" todas as vezes que fosse dirigir a palavra a mim.

— Você está muito desatualizado, *brother* — retruquei.

— Eu ia chegar aqui protestando, sabe?, com um cartaz dizendo: "Faça amor, não faça guerra".

Falou isso imitando o sotaque americano, o que achei tão chato quanto quando zombavam de mim na Califórnia por causa do meu sotaque terrivelmente britânico.

— Eu juro que, quando começar a protestar, você será a primeira pessoa a saber — acrescentei, depois de deixar claro o quanto aquele tipo de brincadeira me chateava.

— Como vai o seu pai? — perguntou, com um brilho maroto nos olhos, constatando que havia me tirado do sério.

— Está barbudo e se parecendo com o Hemingway.

— Faço idéia.

Um casal de patos selvagens veio voando do céu e pousou sobre a água, deixando aquele pequeno rastro de espuma para trás. Ficamos olhando por uns instantes. Sinclair bocejou, espreguiçou-se, me deu um tapinha de irmão e disse que estava na hora de tomarmos o café da manhã. Então, nós nos levantamos da cama, fechamos a janela novamente e descemos.

Só então percebi que estava faminta. Havia *bacon*, ovos, marmelada Cooper's e uns pãezinhos quentes feitos de farinha de trigo. Enquanto eu comia, Sinclair e minha avó divagavam sobre vários assuntos — notícias do jornal local; o resultado de um concurso de floricultura; uma carta que ela havia recebido de um velho primo que se mudara para um lugar chamado Mortar.

— Por que diabos ele foi morar lá?

— Bem, porque o custo de vida lá é mais baixo e porque lá é mais quente e claro. O pobre velho sempre sofreu muito de reumatismo.

— O que ele pensa fazer lá? Levar os turistas para passear de barco em volta de Grand Harbour?

Percebi que se referiam à Malta. Mortar: Malta. Eu estava mais americanizada do que imaginava.

Minha avó servia o café. Enquanto eu a observava, calculava que ela deveria ter, mais ou menos, setenta anos. A despeito disso, ela ainda conservava a mesma aparência que possuía nas minhas lembranças. Era alta, elegante e muito bonita, com seus cabelos grisalhos sempre irretocáveis, e seus olhos de um azul penetrante e vivo, dispostos sob um par de sobrancelhas finas em forma de arco. (Naquele momento, o efeito que tinham era de um charme jovial, mas eu sabia que ela era capaz de registrar uma infinidade de admoestações com um simples erguer daquelas sobrancelhas, acompanhado por um olhar azul e gélido.) Suas roupas, embora não seguissem as últimas tendências da moda, caíam-lhe muito bem. Ela gostava de usar saias de um *tweed* macio com estampas de urzes e suéteres de *cashmere* ou cardigã. Durante o dia, sempre usava suas pérolas e um par de brincos de coral, lapidados na forma de gotas de lágrimas. Mas, à noite, normalmente usava um ou dois modestos diamantes que brilhavam contrastando com seus veludos escuros. Ela era conservadora o bastante para trocar de roupa a cada noite para o jantar, mesmo num dia de domingo, sem que nada houvesse de mais emocionante para se comer além de ovos mexidos.

Enquanto ela se sentava à cabeceira da mesa, cheguei à conclusão de que ela já havia tido mais do que sua cota de tragédias na vida. Seu marido falecera, então perdera a filha e, agora, o filho, o indefinível Aylwyn, que decidira viver e morrer no Canadá. Sinclair e eu éramos tudo o que havia restado para ela, sem mencionar Elvie. Apesar de tudo, seu tronco permanecia ereto, e seus modos, enérgicos. Eu lhe era grata pelo fato de ela nunca ter-se tornado uma daquelas senhoras queixosas que vivem se lamentando pelos velhos tempos. Ela era fascinante, incrivelmente ativa e inteligente. Indestrutível, dizia a mim mesma, tranqüilizando-me. É isso o que era: indestrutível.

Depois do café, Sinclair e eu fizemos o nosso passeio ritual pela ilha, sem perdermos nada. Passamos pelo portão que leva ao cemitério. Lá, fizemos uma turnê por todas as velhas lápides e espiamos pelas frestas das janelas da igreja em ruínas. Depois, pulamos o muro que dava para o campo, passando pelos olhares curiosos do gado, e fomos até a beira do lago. Mexemos com um casal de patos selvagens e competimos para ver quem conseguia atirar uma pedra o mais longe possível, fazendo com que deslizasse sobre a água do lago. Sinclair venceu. Caminhamos até a ponta do píer para olharmos o velho barco furado que era ruim feito o diabo para se remar. Nossos passos ecoaram sobre as ripas de madeira que bambeavam.

— Um dia — disse — isso vai acabar desabando.

— Não há por que consertar isso, se ninguém o usa.

Continuamos, margeando o lago e passando sob a faia frondosa onde havíamos construído a nossa cabana e atravessamos um bosquezinho de bétulas cercado de folhas que caíam silenciosas. Voltamos para casa passando por um conjunto de construções anexas — chiqueiros e galinheiros abandonados, estábulos e uma velha cocheira que, desde há muito tempo, vinha sendo usada como garagem.

— Venha ver o meu carro — disse Sinclair.

Depois da batalha que travamos com os ferrolhos, a porta grande e antiquada finalmente se abriu, rangendo e revelando, ao lado do grande e elegante Daimler de minha avó, um Lótus Elan amarelo-escuro, com uma capota preta, rebaixado bem próximo ao chão e infinitamente mortal.

— Há quanto tempo você tem esse carro? — perguntei.

— Ah, há, mais ou menos, seis meses.

Ele se sentou ao volante e o retirou da garagem dando marcha à ré, com o motor rosnando feito um tigre feroz. Ele me mostrou, feito um menino quando ganha um brinquedo novo, todos os diversos avanços tecnológicos do carro: os vidros elétricos; o mecanismo perfeito que recolhia a capota; o alarme antifurto automático e os protetores dos faróis, que se abriam e fechavam como pálpebras monstruosas.

— Que velocidade ele alcança? — indaguei, nervosa.

— Uns 180 ou 190 quilômetros por hora — respondeu, dando de ombros.

— Comigo, nem pensar!

— Espere até ser convidada, minha garotinha medrosa.

— É difícil até dirigir a oitenta nas pistas daqui sem acabar derrapando e saindo da estrada.

— Você não quer tirá-lo da garagem? — perguntou enquanto saía do carro.

— Não.

— Combinei de ir caçar pombos — disse olhando para o relógio.

Já havia até me esquecido de como as coisas eram por aqui. Na Escócia, os homens sempre saem para caçar, independentemente dos planos que suas mulheres tenham feito.

— Quando é que você volta? — indaguei.

— Talvez a tempo de tomar o chá com vocês — respondeu, sorrindo e mostrando os dentes para mim. — Que tal se, depois do chá, eu levar você para fazer uma visita aos Gibsons? Eles estão loucos para ver você e eu havia prometido a eles que a levaria até lá.

— Tudo bem. Vamos fazer isso.

Voltamos para casa. Sinclair se trocou e apanhou seu equipamento de caça e eu subi para o meu quarto para desfazer as malas.

Enquanto eu passava pela porta, um golpe de ar frio entrou e me fez tremer. Percebi que já estava com saudade do sol da Califórnia e do aquecimento central da América. Elvie tinha as paredes espessas e era voltada para o sul. As lareiras ficavam constantemente acesas, e sempre havia litros e mais litros de água quente, mas os quartos tendiam a ficar definitivamente gelados. Eu havia colocado minhas roupas nas gavetas vazias e vi que, apesar de todos os cuidados tomados ao lavá-las, secá-las e passá-las, não estavam nem um pouco quentes. Para o clima da Escócia, teria que comprar outras roupas. Talvez a minha avó pudesse comprá-las para mim — e essa era uma idéia que decerto me deixava muito feliz.

Com isso em mente, desci para procurar por ela e a encontrei saindo da cozinha, usando botas de borracha, uma capa de chuva muito velha e carregando uma cesta.

— Estava saindo à sua procura. Cadê o Sinclair? — perguntou.

— Foi caçar pombos.

— Ah, sim. Ele havia dito que iria almoçar fora. Venha me ajudar a colher umas couves-de-bruxelas.

Nossa ida foi atrasada por uns instantes enquanto eu procurava por umas botas e por um casaco velho. Então, saímos novamente na manhã tranqüila, só que, dessa vez, fomos até a estufa. Will, o jardineiro, já estava lá. Ele levantou a cabeça quando entramos, parou de cavar e veio pisando, com cuidado, a terra recém-revolvida para me cumprimentar, sacudindo-me com as mãos sujas de lama.

— Ei — falou —, já "fachi" tanto tempo desde que "vochê" "teve" aqui em Elvie da última "veije" — ele não costumava falar com uma dicção muito boa, já que só punha a sua dentadura aos domingos — e "combo" é a "viba" na América?

Falei um pouco da América para ele, e ele perguntou pelo meu pai. Perguntei pela senhora Will, que parecia estar doente, como sempre. Ele voltou para o seu trabalho, cavucando a terra, e minha avó e eu fomos colher couves.

Após termos terminado de encher a cesta, voltamos em direção à casa, mas a manhã estava tão fresca e calma que minha avó disse que preferia permanecer do lado de fora, de modo que demos a volta, fomos para o jardim e nos sentamos num banco de ferro pintado de branco de onde avistávamos o lago e as montanhas. O canteiro de ervas estava repleto de dálias, zínias e astropólios lilases. A grama estava cheia das folhas vermelho-escuras de bordo canadense.

— Sempre achei o outono um tempo perfeito. Alguns acham triste, mas é bonito demais para ser triste — disse minha avó.

— "Setembro chegou, é ela, cuja vitalidade salta no outono" — recitei.

— Quem escreveu isso?

— Louis MacNeice. A sua vitalidade salta?

— Bem, talvez há vinte anos — rimos e ela apertou a minha mão. — Oh, Jane, que alegria tê-la de volta.

— Você me escreveu tantas vezes. Eu teria vindo antes... mas realmente não foi possível.

— Não. Claro que não. Eu entendo. Eu é que fui egoísta em insistir tanto.

— E aquelas... cartas que você escreveu para o meu pai. Eu não tinha conhecimento delas, senão as teria respondido.

— Ele sempre foi teimoso — falou, lançando-me um olhar muito penetrante e azul —, ele não queria que você viesse?

— Tomei uma decisão. Ele acabou aceitando. Além do mais, com David Stewart lá, esperando para voltar comigo, ele não pôde fazer qualquer objeção.

— Achei que você não fosse conseguir deixá-lo.

— Não — respondi, abaixando-me e apanhando uma folha de bordo, despedaçando-a entre os dedos —, não. Há uma amiga lá com ele.

— Uma amiga? — indagou, novamente me olhando de soslaio.

— Linda Lansing. Ela é atriz. E sua atual namorada — respondi, levantando os meus olhos, já arrependida de ter mencionado o fato. A minha avó sempre tivera bons princípios, mas nunca fora puritana.

— Entendo — disse minha avó, depois de um tempo.

— Não, não acho que você entenda. Mas eu gosto dela, e ela vai cuidar de papai... pelo menos até eu voltar para casa.

— Não entendo — disse minha avó — por que ele não se casou de novo.

— Terá sido por nunca ter ficado em lugar nenhum o bastante para se fazer correr os proclamas?

— Mas isso é egoísmo. Ele nem ao menos deu a você a chance de viajar, de voltar para nos visitar, ou até mesmo de ter alguma profissão.

— Se há algo que eu nunca quis ter é uma profissão.

— Mas hoje em dia toda mulher deve ser capaz de se sustentar.

Eu disse que estava muito feliz em ser sustentada por meu pai, e minha avó retrucou que eu era tão teimosa quanto ele e me perguntou se eu nunca tivera vontade de ter algum emprego.

Eu me esforcei para responder, mas a única coisa de que me lembrava era de ter oito anos de idade e querer fazer parte de um circo para ajudar a dar banho nos camelos. Achei que a minha avó não fosse gostar de ouvir aquilo.

— Não, nunca — acabei respondendo.

— Oh, coitadinha.

— Coitadinha, não. Coitadinha coisíssima nenhuma — rebati, saindo em defesa de meu pai. — Nunca senti falta de nada, a não ser de estar em Elvie — acrescentei, para mitigar um pouco a força das minhas palavras — e de você. De tudo. — Ela não fez nenhum comentário. Deixei cair a folha despedaçada e me abaixei para apanhar outra. — David Stewart falou do tio Aylwyn. Não fiz nenhum tipo de comentário com Sinclair... mas... fiquei com pena dele... quer dizer, o pai dele estava tão longe e tudo mais.

— Pois é — respondeu sem demonstrar qualquer emoção na voz —, mas foi o que ele escolheu... morar no Canadá e, por fim, morrer lá. Sabe, Elvie nunca teve muita importância para o Aylwyn. Ele não era do tipo que cria raízes. Ele queria, antes de mais nada, estar em companhia de muitas pessoas diferentes. Gostava de diversidade em tudo que fazia. Elvie nunca foi o melhor lugar para alguém assim.

— É tão estranho... um homem se sentir entediado na Escócia... há uma atmosfera tão masculina aqui.

— É, mas, veja bem, ele não gostava de caçar e nunca quis pescar. Essas coisas o entediavam. Ele gostava de cavalos e de corridas. Era um excelente jóquei.

Percebi, com uma certa surpresa, que essa era a primeira vez que falávamos do tio Aylwyn. Não que o assunto tivesse sido evitado; era só que, antes, eu não tinha o menor interesse. Mas, agora, percebia o quanto era estranho o fato de saber tão pouco a seu respeito... Eu nem mesmo sabia qual era sua aparência, até porque minha avó, diferentemente de outras mulheres de sua geração, não era do tipo que gostasse de exibir fotos de família. Todas que ela possuía estavam bem guardadas em álbuns, não à mostra, com molduras de prata, em cima do piano de cauda.

— Como ele era fisicamente? — perguntei.

— Fisicamente? Ele se parecia com Sinclair agora. E era muito charmoso... quando entrava em um lugar, todas as mulheres ficavam alvoroçadas e começavam a sorrir e a tentar chamar a sua atenção. Era algo divertido de se ver.

Eu estava a ponto de perguntar sobre Silvia, mas ela me impediu de fazê-lo ao olhar para o relógio, assumindo novamente o seu ar de negócios.

— Agora é melhor irmos e levarmos estas couves para a senhora Lumley; do contrário, ela não vai conseguir aprontá-las a tempo para o almoço. Obrigada por me ajudar a colhê-las. E gostei de ter conversado com você.

Conforme prometera, Sinclair voltou para o chá. Em seguida, vestimos nossos casacos, chamamos os cachorros e partimos para a casa dos Gibsons.

Eles moravam numa casinha de zelador, escondida num abrigo natural feito pelo morro que se erguia ao norte de Elvie, de modo que tivemos que sair da ilha, cruzar a estrada principal, seguir por um caminho que serpenteava através de trechos cobertos de grama e mato e atravessar, por várias vezes, um córrego que passava por uma manilha por baixo da estrada e desembocava no Lago Elvie. O córrego vinha do alto das montanhas, e o vale abaixo por onde ele passava, incluindo os morros em ambos os lados, faziam parte da propriedade da minha avó.

Antigamente, alguns grupos vinham ao local para caçar, acompanhados de crianças que participavam como batedores e de pôneis da montanha levando os cavalheiros mais idosos. Mas, atualmente, a área era arrendada por um clube de comerciantes locais, que gostavam de fazer caminhadas durante dois ou três sábados em agosto, e apreciavam, também, trazer suas famílias para fazer piqueniques ou pescar nas águas do riacho.

Quando nos aproximamos da casa, ouvimos uma cacofonia de latidos vindo do canil. A senhora Gibson, incomodada pelo barulho, apareceu diante da porta aberta.

— Olá! — disse Sinclair acenando.

A senhora Gibson acenou também e voltou para dentro de casa rapidamente.

— Será que ela foi pôr a chaleira no fogo? — perguntei.

— Ou então pedir para o senhor Gibson colocar a dentadura.

— Que maldade!

— Não. É bem provável.

Havia um jipe velho estacionado ao lado da casa, meia dúzia de galinhas ciscando próximo aos pneus do carro e um varal com roupas. Quando nos aproximamos da porta, a senhora Gibson veio para fora novamente, já sem o avental. Ela usava uma blusa e um broche de camafeu pendendo de um colar e vinha sorrindo de orelha a orelha.

— Ah, senhorita Jane, eu teria reconhecido você em qualquer lugar. Estava conversando com o Will, e ele me disse que você não havia mudado nada. E o senhor Sinclair... não sabia que estava de volta.

— Tirei uns dias de folga.

— Entrem, então. Gibson está tomando o seu chá.

— Espero não termos chegado em uma hora ruim — desculpou-se Sinclair, afastando-se e deixando que eu entrasse primeiro. Abaixei a cabeça com cuidado para passar pela porta, e fui até a cozinha onde uma chama vermelha ardia na grelha do fogão. Com dificuldade, Gibson se levantava da mesa abarrotada de bolinhos de farinha de trigo, bolos, manteiga, geléia, chá, leite e um favo de mel. Pude sentir, também, um cheiro forte de hadoque.

— Ah, Gibson, não queríamos incomodar...

— Vocês não estão incomodando nada, não — respondeu estendendo a mão.

Eu a apertei, sentindo-a ressecada e encaroçada, feito uma casca de árvore. Sem o seu inseparável chapéu de *tweed*, ele ficava estranho, pouco familiar e tão vulnerável quanto um policial sem o capacete, com sua cabeça careca protegida apenas por uns poucos fios de cabelo grisalho. Percebi que, de todos os amigos que eu tinha em Elvie, ele era o único que havia envelhecido de verdade. Seus olhos estavam pálidos e esbranquiçados ao redor da íris. Estava mais magro, mais arqueado, e sua voz havia perdido seu tom grave masculino.

— Ei, disseram-nos que você estava vindo para casa — falou e, voltando-se para Sinclair que nos acompanhava até a cozinha pequena e apertada, acrescentou: — E você também, Sinclair.

— Olá, Gibson.

— Ele está tomando o chá, Sinclair, mas sente-se aqui um pouquinho, você não vai importuná-lo — disse a senhora Gibson, movimentando-se com rapidez atrás dele, enquanto nos acomodava. — Agora, sente-se aqui, Jane, perto do fogo, que é mais confortável e quente... — Eu me sentei tão próximo do fogo, que pensei que fosse me assar viva. — Você aceita uma xícara de chá?

— Aceito sim, obrigada.

— E uma coisinha para comer — completou, dirigindo-se à copa, colocando uma das mãos sobre o ombro do marido enquanto passava por trás dele, empurrando-o para baixo e obrigando-o a se sentar novamente. — Sente-se, querido, e termine seu hadoque. Jane não vai se importar...

— Sim, por favor, pode terminar de comer.

Mas Gibson disse que já estava satisfeito. A senhora Gibson retirou o prato rapidamente, como se a comida fosse algo indecente, e foi encher a chaleira. Sinclair puxou uma cadeira do outro lado da mesa e sentou-se em frente a Gibson, com o suporte de bolo banhado em prata entre os dois. Ele puxou um maço, deu um cigarro para o velho, retirou outro para si e se inclinou sobre a mesa para acendê-lo.

— Como você tem passado? — perguntou.

— Mais ou menos... tem feito calor e tem estado tão claro neste verão. Eu soube que você foi caçar pombos hoje. Como foi que se saiu?

Ouvindo os dois, o jovem forte e o velho, conversarem daquele jeito, era difícil crer que um dia Gibson fora o único homem que Sinclair respeitava de verdade.

A senhora Gibson voltou logo com duas xícaras limpas (as melhores que possuía, pude perceber), colocou-as sobre a mesa, serviu o chá e nos ofereceu bolinhos de farinha de trigo, tortinhas com glacê e biscoitos amanteigados, que educadamente recusamos. Em seguida, acomodou-se do lado oposto à lareira para conversarmos no aconchego do fogo. Mais uma vez, tive de responder a perguntas sobre meu pai. Perguntei pelos filhos dela, e ela me disse que Hamish estava no Exército, mas que George havia conseguido ingressar na Universidade de Aberdeen, onde estava cursando Direito.

— Mas isso é maravilhoso. Não sabia que ele era assim tão inteligente! — exclamei, impressionada.

— Ele sempre foi um menino muito estudioso... muito chegado aos livros.

— Então, nem Hamish, nem George vão seguir a profissão do pai.

— Ah, não é a mesma coisa para os jovens. Não querem passar o resto de suas vidas nas montanhas com essas mudanças de tempo... Aqui é calmo demais para eles. E, sabe, eles não estão errados. Isto aqui não é vida para um rapaz. E, embora tenhamos conseguido criá-los bem, não dá para se ganhar dinheiro aqui hoje em dia. Não quando se consegue ganhar até três vezes mais com um emprego numa cidade, numa fábrica ou em um escritório.

— O Gibson não fica triste com essa situação?

— Não — ela respondeu olhando para ele com afeto, mas ele estava absorto demais na conversa com Sinclair para poder notar o seu olhar. — Não, ele sempre quis muito que eles fizessem o que fosse da vontade deles e que se dessem bem na vida. Ele incentivou George o tempo todo... e sabe — acrescentou, citando Barrie sem querer —, não há nada como uma boa educação.

— Você não tem fotos deles? Eu gostaria tanto de ver como eles estão agora.

— Estão perto da minha cama. Vou buscá-las... — respondeu, feliz por eu ter perguntado.

Saiu rapidamente para o quarto. Ouvi seus passos pesados sobre os degraus da pequena escada e através do piso do quarto acima.

— Sabe, não há nada de errado com as barricas velhas... — dizia o Gibson atrás de mim —, quando elas foram feitas, foram feitas para durar... elas só estão um pouquinho gastas.

— E os pássaros?

— Ah, tem sim, tem muitos pássaros. Sabia que eu peguei duas raposas fêmeas com filhotes na primavera?

— E as vacas?

— Tenho conseguido mantê-las a distância. E o mato está alto. Estava bem queimado no início da estação...

— Você não acha que é serviço demais para você?

— Ah, estou em boa forma.

— Minha avó me disse que você ficou de cama por umas duas semanas no inverno passado.

— Aquilo foi só um pouco de resfriado. O médico me deu um remédio, e fiquei inteiro de novo... Você não tem de dar ouvidos ao que as mulheres dizem...

— O que você disse sobre as mulheres? — indagou a senhora Gibson, voltando com as fotos.

— Vocês são um bando de corujas velhas — respondeu seu marido — fazendo uma tempestade por causa de um resfriadinho...

— Ah, não foi um resfriadinho... e depois de um tempo tive de obrigá-lo a ficar de cama — acrescentou, mantendo Sinclair a par do que havia ocorrido — e não tenho muita certeza de que foi só um resfriado... — disse, passando-me as fotos. — Insisti em que ele fizesse um raio X, mas ele não quis nem ouvir falar nisso.

— Você deveria ter feito, Gibson.

— Ah, não tenho tempo para ir a Inverness para essa baboseira... — retrucou, demonstrando tédio em falar sobre seu estado de saúde; e, numa tentativa de mudar de assunto, virou sua cadeira na minha direção a fim de espiar as fotos dos seus filhos sobre os meus ombros; Hamish, de aparência sólida, como oficial do Primeiro Batalhão de Atiradores escoceses, e George em uma pose formal em um estúdio fotográfico.

— George está na Universidade. A senhora Gibson lhe contou? Já está no terceiro ano, e vai sair de lá advogado. Você se lembra de quando ele ajudou você a construir a casa na árvore?

— Ela ainda está de pé. O vento não a derrubou.

— Qualquer coisa que o George faz, ele faz bem. Ele é um ótimo rapaz.

Ficamos para conversar mais um pouco, e então Sinclair afastou a cadeira e disse que já era hora de irmos. Os Gibsons foram até a porta para se despedirem de nós, e os cachorros, ao ouvirem vozes novamente, começaram a latir. Fomos até o canil para conversarmos com eles. Eram duas cadelas grandes, uma preta e a outra amarela. Essa última tinha uma pelagem macia e sedosa e uma expressão afetuosa, com olhos escuros revirados para cima.

— Ela se parece com a Sophia Loren — falei.

— Ah, sim — falou Gibson —, ela é bonita. Como ela está no cio agora, vou levá-la até Braemar amanhã. Conheço um homem lá que tem um bom cão. Acho que talvez a gente consiga uma ninhada.

— Você vai amanhã? A que horas? — perguntou Sinclair erguendo as sobrancelhas.

— Vou sair lá pelas nove e meia.

— Qual é a previsão do tempo?

— Deve ventar um pouco hoje à noite, e com isso essa neblina irá embora. A previsão é de tempo bom para o fim de semana.

— Que tal? — perguntou Sinclair, voltando-se para mim.

— Hã? — Eu estava brincando com o cachorro e mal ouvira a conversa.

— Gibson vai a Braemar amanhã de manhã. A gente podia pegar uma carona, fazendo o caminho de volta para casa pelas montanhas Lairig Ghru... Você pode ir até Rothiemurchus à noite para nos encontrar? — perguntou, voltando-se para Gibson.

— Posso sim. A que horas pode ser?

— Que tal às seis? — ponderou Sinclair. — A gente já deve estar lá a essa hora. O que você acha, Jane? — indagou, encarando-me novamente.

Nunca havia feito a travessia do Lairig Ghru. Antigamente, todos os verões, alguma pessoa em Elvie se aventurava, mas nunca me incluíram no grupo porque achavam que minhas pernas não eram compridas o suficiente. Mas agora...

Olhei para o céu. A nuvem que estava lá pela manhã não havia se dissipado, e agora, ao cair da noite, estava se transformando em uma neblina tênue.

— Será que vai fazer tempo bom mesmo?

— Ah, vai sim. E muito agradável.

— Gostaria muito de ir — eu disse. A opinião do Gibson bastava para mim.

— Bem, então está marcado. Às nove horas lá em casa?

— Eu vou estar lá — prometeu Gibson. Agradecemos pelo chá e fomos embora, descendo o morro e atravessando a estrada molhada em direção a Elvie. O ar pesava com a umidade, e embaixo das faias douradas estava muito escuro. De repente, eu me senti deprimida. Não queria que nada mudasse... queria que Elvie estivesse exatamente do modo como me recordava do lugar, mas ver Gibson tão velho havia sido um choque. Disse que estivera doente. Um dia ele morreria. E a idéia da morte, naquele frio, naquele entardecer, me fez tremer.

— Está com frio? — indagou Sinclair.

— Estou bem. Só tive um dia longo.

— Tem certeza de que quer ir lá amanhã? É uma caminhada e tanto.

— Claro que sim — respondi, bocejando. — Vamos ter que pedir à senhora Lumley para preparar um lanche para levarmos.

Terminamos de passar sob as faias, e à nossa frente se erguia a imagem pouco convidativa que a casa tinha vista do lado norte, com a sua silhueta desenhada pelo céu ameaçador. Uma única luz brilhava amarela através do anoitecer. E decidi que, antes do jantar, tomaria um banho quente para espantar o frio e a tristeza.

6

Eu estava certa. Deitada em uma banheira cheia da água sedosa da Escócia, cochilei. Ainda era cedo. Achei uma garrafa no armário do banheiro e a enchi com a água da torneira, indo para a cama em seguida, onde fiquei por uma hora, deitada na escuridão com as cortinas abertas e ouvindo os grasnos e algazarras intermináveis dos gansos selvagens.

Depois disso, me vesti novamente, e, com a vaga idéia de transformar a minha primeira noite em casa em uma ocasião especial, me dei ao trabalho de prender os cabelos e usar todo tipo de artifício para embelezar os olhos. Então, apanhei minha única roupa formal — um cafetã preto feito de uma seda grossa, com bordados e laço em dourado que meu pai havia visto em alguma loja obscura de artigos da China em uma rua escondida qualquer de São Francisco e que, sem conseguir resistir à tentação, resolvera comprar.

O cafetã me conferiu uma aparência majestosa. Pus os meus brincos, passei um pouco de perfume, e desci. Cheguei cedo, mas queria chegar cedo. Enquanto estava deitada na cama, havia feito um pequeno plano e queria garantir o lugar à mesa.

A sala de visitas da minha avó, preparada com antecedência para a noite, tinha um impacto visual tão charmoso quanto o de um cenário. As cortinas de veludo haviam sido fechadas; as almofadas, afofadas; as revistas, arrumadas; e a lareira, acesa. A sala era iluminada pela luz suave de dois abajures, e a luz das chamas se refletia nas grades de latão da lareira, nos espetos do carvão e nas superfícies de madeira polidas com esmero que havia em cada canto do recinto. Havia flores em toda parte, e caixas cheias de cigarros. A mesinha que servia de bar estava repleta de garrafas e copos, com um balde de gelo e uma tigela com nozes.

No outro canto da sala, ao lado da lareira, havia uma cristaleira com prateleiras de livros, portas de vidro na parte superior e três gavetas grandes e pesadas na parte de baixo. Fui até lá e, retirando uma mesinha que estava no caminho, me abaixei para abrir a gaveta na parte inferior do móvel. Um dos puxadores estava quebrado, e a gaveta era muito pesada. Estava lutando com ela quando ouvi a porta se abrir novamente e alguém entrar. Sentindo-me derrotada, xinguei a mim mesma, mas não tive tempo de me levantar.

— Boa-noite — disse uma voz atrás de mim.

Era David Stewart. Olhei por cima dos ombros e o vi, de pé, me olhando, parecendo inesperadamente romântico vestindo um *smoking* azul-marinho.

— Eu me esqueci completamente de que você vinha para o jantar — respondi, surpresa demais para ser educada.

— Acho que cheguei um pouco cedo. Pensei que não houvesse ninguém aqui, então entrei. O que você está fazendo? Procurando um brinco?

— Não. Estou tentando abrir esta gaveta.

— Para quê?

— Ela costumava ficar cheia de álbuns de fotos. A julgar pelo seu peso, acho que eles ainda estão aqui.

— Deixe-me tentar.

Concordei, abrindo caminho e olhando, enquanto ele dobrava suas longas pernas, segurava os dois puxadores e, suavemente, abria a gaveta.

— Parece tão fácil — disse — quando outra pessoa o faz.

— Era isso que você estava procurando?

— Era, sim. — Havia três álbuns velhos e cheios, pesando uma tonelada cada.

— Você pretendia dar início a uma sessão longa e nostálgica? Com essa quantidade de fotos, você vai passar o resto da noite fazendo isso.

— Não, claro que não. Só quero achar uma foto do pai de Sinclair... Achei que pudesse haver algumas do casamento.

— Por que essa vontade súbita de ver uma foto de Aylwyn Bailey? — indagou, depois de um breve silêncio.

— Bem, pode parecer estranho, mas nunca vi nenhuma foto dele. Minha avó nunca deixou nenhuma à mostra. Não me lembro de ter visto alguma, nem mesmo no quarto dela. Engraçado, não?

— Não necessariamente. Não quando se conhece a sua avó.

— Estávamos falando dele hoje — mencionei, resolvendo fazer-lhe uma confidência. — Ela me disse que ele se parecia com Sinclair e que era muito charmoso. Disse que bastava ele entrar em algum lugar, que as mulheres começavam a surgir aos montes. Nunca prestei muita atenção nele quando eu era pequena... Ele era simplesmente o pai de Sinclair e morava no Canadá. Mas... Sei lá... De repente, fiquei muito curiosa.

Retirei o primeiro álbum da gaveta e o abri, mas datava de apenas dez anos atrás; então coloquei a mão no fundo da gaveta e apanhei o último do monte. Era um álbum elegante, com capa de couro, e todas as fotos, agora desbotadas e começando a ficar de cor sépia, haviam sido colocadas com precisão geométrica e etiquetadas com tinta branca.

Folheando o álbum, vi fotos de grupos de caça e de piqueniques, reuniões de família, fotos de estúdio com direito a cenários e palmeiras em vasos. Havia também a foto de uma menina enfeitada com plumas e uma criança com meias pretas (minha mãe) vestida de cigana.

— Achei. — Era uma foto de uma festa de casamento. Minha avó, formalmente vestida com um turbante de veludo e um vestido longo. Minha mãe, sorrindo contente, como se estivesse determinada a aparentar estar se divertindo. Meu pai, jovem e esbelto, bem barbeado e com uma expressão de incômodo (provavelmente, o colarinho o estava apertando demais). Uma criança desconhecida, como dama de honra e, finalmente, a noiva e o noivo. Silvia e Aylwyn, com seus rostos jovens e redondos, curiosamente imaculados por qualquer tipo de experiência. Silvia, com uma boca pequena pintada de vermelho-escuro, e Aylwyn sorrindo para a câmera como se confidenciasse algo, com seus olhos repuxados, como se tudo fosse a piada mais engraçada do mundo.

— E aí? — perguntou David, finalmente.

— Minha avó estava certa... ele é a cara do Sinclair... a única diferença é que o cabelo está mais curto e com um corte diferente, e talvez ele não fosse tão alto. E Silvia (eu não gostava dela) o deixou, após estarem casados só há cerca de um ano. Você sabia disso?

— Sim, sabia.

— Foi por isso que Sinclair sempre esteve em Elvie. O que você está fazendo?

— Há mais aqui — falou, tateando o fundo da gaveta e retirando de lá uma pilha de fotos com molduras pesadas que haviam sido escondidas.

— O que são? — perguntei, deixando o álbum que eu estava segurando.

— Fotos de um outro casamento. Meu palpite é de que sejam do casamento de sua avó — respondeu, revirando-as na mão.

— Ah, deixe-me vê-las — falei, esquecendo-me de Aylwyn.

Estávamos agora de volta aos anos da Primeira Guerra Mundial, das saias-funis e dos enormes chapéus. Um grupo de pessoas posava sentado em cadeiras, exatamente como a Família Real; colarinhos altos, fraques e expressões de grande solenidade estampadas nos rostos. Minha avó, como a jovem noiva, aparecia com seios grandes e vestida de renda. Seu jovem esposo, um pouco mais velho do que ela, exibia aquela mesma expressão divertida e alegre que nem suas roupas sóbrias e bigode respeitável conseguiam apagar.

— Olhe este aqui. Está tão engraçado nesta foto — falei.

— Acho que ele era engraçado mesmo.

— E quem é este? O velho sujeito de costeletas com saiote escocês?

— Provavelmente o pai do noivo. Não está esplêndido? — disse David olhando sobre o meu ombro.

— Quem era ele?

— Um figurão, creio, chamava-se Bailey de Cairneyhall; era de uma tradicional família desta região e diz a lenda que ele costumava se dar ares e graças, a despeito do fato de que não possuía um centavo sequer.

— E o pai da minha avó?

— É aquele cavalheiro de aparência importante, imagino. Só que ele era de uma estirpe totalmente diferente. Era corretor da bolsa de Edimburgo. Ganhou muito dinheiro e morreu rico. E sua avó — acrescentou com ares de advogado — era a única filha dele.

— Você quer dizer... sua única herdeira.

— Exatamente.

Olhei para a foto novamente, para os rostos solenes e pouco familiares que eram dos meus ancestrais, das pessoas que me haviam feito, com todos os meus defeitos e pequenos talentos, e que haviam me dado o meu rosto, minhas sardas e meus cabelos louros de nórdica.

— Eu nunca ouvi falar de Cairneyhall.

— E nem vai. O lugar ficou tão abandonado e decadente, que no fim teve de ser demolido.

— Então minha avó nunca morou lá?

— Acho que sim, durante um ano ou dois, provavelmente no maior dos desconfortos. Mas, quando o marido dela faleceu, ela se mudou para esta região, comprou Elvie e criou os filhos aqui.

— Então... — não terminei. Percebi que, por nunca ter refletido muito a respeito, sempre acreditara que meu avô, após sua morte, deixara minha avó muito bem de vida. Mas, agora, parecia que não era o caso. Elvie e tudo que havia nela vinham da própria herança de minha avó e pertenciam unicamente a ela. E a propriedade não tinha nenhuma ligação com seu casamento com o pai do Aylwyn.

— Então o quê? — perguntou David, gentilmente, enquanto me observava.

— Nada — respondi envergonhada. Toda aquela questão envolvendo dinheiro me fazia sentir pouco à vontade, algo que herdara do meu pai. Por isso, rapidamente mudei de assunto.

— Como foi que você ficou sabendo tanto sobre eles?

— É que eu cuido dos negócios da família.

— Entendo.

— Talvez fosse melhor guardarmos tudo isso... — falou, fechando o álbum de fotos.

— Sim, claro. E, David... não quero que minha avó saiba que fiz a você todas essas perguntas.

— Eu não vou contar nada a ela.

Pusemos os livros e as fotos de volta onde os havíamos achado e fechamos a gaveta. Coloquei a mesa de volta em seu lugar e fui retirar a proteção de frente da lareira. Apanhei um cigarro, que acendi usando um graveto em chamas. Quando me levantei, me deparei com David me observando.

— Você está tão bonita. A Escócia certamente combina com você — falou, do nada.

— Obrigada — respondi. Era isso que as meninas americanas aprendem a dizer quando recebem um elogio. (As inglesas falam coisas do tipo: "Oh, não estou não. Estou toda desarrumada", ou "Como você pode achar isso desse vestido? Ele é horrível", o que tenho certeza de que pode ser muito desagradável.)

E então, por de repente ter me sentido envergonhada e precisar de algo para me distrair, me ofereci para preparar-lhe um drinque. Ele argumentou que, na Escócia, drinques não eram preparados, mas servidos.

— Não quando se trata de martinis — retruquei, insistindo. — Você não serve um martini até que o tenha preparado. Isso é tão óbvio.

— Você tem razão. Quer um martini?

— Você sabe como preparar um? — perguntei, com receio.

— Creio que sim.

— Meu pai costuma dizer que apenas dois homens na Grã-Bretanha sabem como preparar um martini, e ele é um deles.

— Então, eu devo ser o outro — respondeu enquanto se dirigia até a mesa e mexia nas garrafas, cubos de gelo e rodelas de cascas de limão.

— O que você fez hoje? — perguntou.

Narrei para ele o meu dia até a parte em que tive minha sessão de relaxamento na banheira de água quente e na cama.

— Adivinha o que planejamos para amanhã — falei.

— Não sei. O quê?

— Sinclair e eu vamos fazer a travessia do Lairig Ghru.

— Você vai *mesmo*? — perguntou, demonstrando ter ficado impressionado, o que me deixou feliz.

— Vou mesmo. Gibson vai nos levar de carro até Braemar e depois vai nos encontrar em Rothiemurchus à noite.

— O tempo vai estar bom amanhã?

— Gibson disse que sim. Ele disse que todas essas nuvens escuras vão se dissipar e vai fazer "muitcho" calor — respondi enquanto o observava, apreciando suas mãos bronzeadas, seus cabelos escuros e seus ombros largos sob o veludo azul e macio. — Você podia vir conosco... — falei, de forma um pouco impulsiva.

— Gostaria muito, mas vou estar ocupado o dia inteiro amanhã — respondeu, atravessando a sala e trazendo os dois drinques gelados de um tom dourado claro.

— Fica para uma próxima vez — falei, apanhando o copo.

— Está bem.

Sorrimos, erguemos os copos e bebemos. O martini estava delicioso, frio e inebriante como fogo.

— Vou escrever para meu pai e dizer que encontrei a outra pessoa que sabe preparar martinis — falei e, lembrando-me de algo, continuei. — David, eu tenho que comprar umas roupas...

— Que tipo de roupa? — indagou, adaptando-se facilmente à mudança de assunto.

— Roupas escocesas, suéteres e coisas do tipo. Tenho aquele dinheiro que meu pai me deu, mas está todo em notas de dólares. Será que você poderia trocá-las para mim?

— Claro que sim. Mas onde você pretende fazer compras? Caple Bridge não é exatamente o centro da moda do norte da Escócia.

— Não quero roupas da moda, só quero alguma coisa que me mantenha aquecida.

— Nesse caso, tudo bem. Quando é que você quer ir às compras?

— No sábado, talvez.

— Você sabe dirigir? Você vai usar o carro da sua avó?

— Sei, mas não posso. Não tenho carteira de motorista britânica... Mas, não importa, eu vou de ônibus...

— Tudo bem. Então, venha até o meu escritório; eu vou lhe dizer como chegar lá. Vou lhe dar o seu dinheiro e, quando você tiver terminado de fazer as compras e se não tiver nada melhor para fazer, eu a levarei para almoçar.

— Verdade? — Eu não esperava por aquilo e fiquei radiante. — Onde?

— Na verdade, não há muitas opções — respondeu, coçando a nuca, pensativo. Pode ser no Crimond Arms ou na minha casa; a empregada não vem aos sábados.

— Eu sei cozinhar — falei. — Você poderia comprar alguma coisa, e eu prepararia. De qualquer forma, queria muito ver onde você mora.

— Minha casa não é nada demais.

Mas percebi que estava entusiasmada de qualquer forma. Sempre achei que não se conhece um homem até que se tenha visto a sua casa, seus livros, seus quadros e o modo como arruma os móveis. David, durante todo o tempo em que passamos juntos na Califórnia e na viagem de volta, havia sido gentil e amável, mas me revelara apenas o lado formal e profissional de sua personalidade. Agora, porém, ele acabara de me ajudar a encontrar a foto que eu queria e de responder, com uma paciência incrível, a todas as minhas perguntas, e ainda me convidara para almoçar. Percebi haver muito mais coisas a serem descobertas a respeito dele do que achara à primeira vista, e era muito gratificante imaginar que talvez ele sentisse o mesmo em relação a mim.

No fim do jantar, fui mais uma vez vencida pela fadiga, pela diferença de fuso horário, ou seja lá o que fosse; e, usando a excursão do dia seguinte como desculpa, disse boa-noite a todos e fui para a cama, onde adormeci rapidamente.

Acordei, algum tempo depois, com o som do vento que Gibson havia previsto batendo nas janelas, sussurrando sob a porta, açoitando as águas do lago e formando pequenas ondas que batiam de encontro ao seixos da margem. E, destacando-se dos sons da noite, ouvi vozes.

Apanhei meu relógio e vi que ainda não era meia-noite. Fiquei prestando atenção. As vozes foram ficando cada vez mais nítidas, e percebi que eram a minha avó e Sinclair e que estavam lá fora no gramado abaixo do meu quarto. Sem dúvida, estavam levando os cachorros para darem uma volta ao redor da casa antes de trancarem as portas.

— .... achei que ele envelheceu muito. — Era o Sinclair falando.

— Sim, mas o que podemos fazer?

— Aposente-o. Contrate outro.

— Mas para onde eles iriam? Não é como se algum dos filhos estivesse casado, com uma casa para oferecer para eles. Além do mais, ele está conosco há mais de cinqüenta anos... há tanto tempo quanto eu. Não posso me livrar dele só porque ele está ficando velho. De qualquer forma, ele morreria em dois meses se ficasse sem emprego ou trabalho.

Percebi, com um certo desconforto, que estavam falando de Gibson.

— Mas ele não está mais apto a fazer esse serviço.

— Que motivos você tem para dizer isso?

— É tão óbvio. Ele já deu o que tinha para dar.

— Até onde sei, ele ainda é perfeitamente capaz. Não é como se ele precisasse sair por aí atirando em alguém. A associação está...

— Isso é outro assunto — disse Sinclair, interrompendo-a. — Não é nada prático arrendar uma área maravilhosa como aquela para um ou dois comerciantes locais de Caple Bridge. O que eles pagam não dá nem para cobrir as despesas com Gibson.

— Esses comerciantes locais, Sinclair, por acaso, são meus amigos.

— Isso não vem ao caso. Do meu ponto de vista, parece até que estamos administrando algum tipo de instituição de caridade.

— Parece que *eu* é que estou administrando algum tipo de instituição de caridade — retrucou minha avó, retificando-o, após fazer uma pausa.

A frieza de sua voz teria me silenciado, mas Sinclair parecia imune a ela, e fiquei imaginando que sua típica coragem holandesa era fruto dos envelhecidos *brandies*.

— Nesse caso — ele disse — sugiro que pare. Agora. Aposentar Gibson e vender o terreno ou, pelo menos, alugá-lo para alguém que pague um bom preço...

— Eu já lhe havia dito...

Suas vozes se afastavam lentamente. Eles estavam andando, ainda imersos na discussão; pude perceber que estavam contornando a esquina da casa. Descobri que estava deitada feito pedra na minha cama, sentindo-me péssima por ter ouvido o que, obviamente, não havia sido dito para meus ouvidos. Pensar naquela disputa me deixou doente, mas ainda pior era o que disputavam.

Gibson. Pensei nele como costumava ser, forte e incansável, uma mina repleta de sabedoria e histórias. Lembrei-me dele e de sua inesgotável paciência, ensinando Sinclair a caçar e pescar, respondendo seus questionamentos, deixando-nos segui-lo de perto pelas colinas como se fôssemos pequenos filhotes. E a senhora Gibson, que nos mimou com doces e guloseimas recém-saídas de seu forno, cobertas com a manteiga de um amarelo vivo que ela mesma preparava.

Era impossível reconciliar o passado com o presente — o Gibson que estava na minha memória com o velho de hoje. E o mais duro foi saber que fora meu primo Sinclair quem mais se esforçara por se livrar de Gibson como se ele fosse um cão velho e fedorento, e o tempo chegou para mostrar a dor de não mais tê-lo conosco.

7

Acordei novamente, arrastada do sono por algum tipo de alarme subconsciente. Sabia que já era dia. Abri os olhos e vi um homem em pé em frente a minha cama, observando-me com um olhar frio. Soltei um grito abafado de medo e me sentei, com o coração disparado, mas era só Sinclair que viera me acordar.

— São oito horas — ele disse. — Temos que sair às nove.

— Você me deu um susto horrível — falei, sentando-me e esfregando os olhos, tentando despertar, e me dando algum tempo para que o pânico que ainda corria nas minhas veias se dissipasse.

— Desculpe-me, não foi minha intenção... Eu só ia acordar você...

Olhei para ele novamente, mas, dessa vez, não vi nenhuma ameaça; apenas a imagem familiar do meu primo, com os braços cruzados aos pés da cama e seus olhos repuxados transmitindo algo como se estivesse achando a maior graça da situação. Ele estava vestindo um saiote escocês desbotado, um pulôver canelado e um cachecol preso ao pescoço. Ele tinha uma aparência limpa, com os cabelos penteados, e exalando o cheiro delicioso da loção pós-barba que passara no rosto.

Fiquei de joelhos e me debrucei na janela aberta para ver como estava o dia. Estava perfeito, claro, límpido, frio e sem uma nuvem sequer no céu.

— Gibson estava certo — disse, maravilhada.

— Claro que sim. Ele sempre acerta. Você ouviu o vento à noite? E aqui geou; daqui a pouco todas as árvores vão mudar.

O lago, azul com o reflexo do céu, estava cheio de pequenos pontos brancos com a água remexida, e as montanhas do outro lado não estavam mais cobertas pela névoa, mas nítidas e brilhantes. Marcadas pelos movimentos do mato alto ao vento, e no ar translúcido da manhã, eu conseguia distinguir cada rocha, cada fenda e reentrância que levavam ao seu cume.

Era impossível não ficar eufórico num dia daqueles. As incertezas da noite haviam sumido com a escuridão. Ouvira o que não era para os meus ouvidos. Mas, à luz clara da manhã, parecia perfeitamente possível que eu tivesse me enganado, entendido mal. Além do mais, não tinha ouvido o início da discussão, ou seu final... e era errado fazer qualquer tipo de julgamento, de posse de apenas parte dos fatos.

O alívio de ter me livrado de minhas preocupações pessoais de repente me deixou extremamente feliz. Pulei da cama e fui, ainda de camisola, buscar minhas roupas. Sinclair, tendo cumprido sua missão com sucesso, desceu para tomar café.

Comemos na cozinha aquecida e aconchegante. A senhora Lumley havia fritado salsichas das quais comi quatro.

Bebi, também, duas enormes xícaras de café. Em seguida, fui procurar uma mochila velha, onde colocamos o nosso almoço: sanduíches, chocolate, maçãs e queijo.

— Vocês vão querer levar uma garrafa térmica? — perguntou a senhora Lumley.

— Não — respondeu Sinclair, ainda se fartando com torradas e marmelada. — Mas coloque duas canecas de plástico para bebermos água do rio.

Ouvimos uma buzina de carro e logo Gibson apareceu na porta dos fundos. Vestia suas calças de *tweed* verdes e largas, com as bocas enormes na altura de suas canelas finas. Na cabeça, usava seu velho chapéu também de *tweed*.

— Vocês estão prontos? — perguntou, obviamente sem esperar por uma resposta afirmativa.

Mas estávamos. Pegamos nossas capas de chuva, a mochila com as provisões, despedimo-nos da senhora Lumley e partimos naquela manhã maravilhosa. O ar gelava nas minhas narinas, penetrava fundo nos meus pulmões de forma cortante, deixando-me com vontade de pular novamente para dentro de casa.

— Estamos com sorte, não? — exclamei com satisfação. — O dia não podia estar mais perfeito.

— Está bom — disse Gibson, o que, por ser escocês, era o comentário mais entusiástico que ele poderia fazer.

Subimos no Land-Rover. Havia espaço para nós três na frente, mas a cadela de Gibson parecia nervosa e precisando de companhia, de modo que preferi sentar-me atrás com ela. No início, ela ganiu, ficou inquieta e tensa, mas pouco depois se acalmou e adormeceu, com sua cabeça macia e aveludada sobre o meu sapato.

Gibson pegou a estrada para Braemar em Tomintoul, indo em direção ao sul, subindo as montanhas e descendo e, por volta das onze horas, alcançando o vale Dee, que estava dourado com a luz do sol. O rio, profundo e translúcido feito vidro marrom, estava turbulento, ziguezagueando através de campos, fazendas e vastas áreas repletas de pinheiros escoceses. Chegamos a Braemar, atravessamos toda a sua extensão até o lado oposto, e continuamos por cerca de mais cinco quilômetros até alcançarmos a ponte que cruza o rio e leva a Mar Lodge.

Chegando ao local, paramos, descemos do carro e deixamos a cadela correr um pouco enquanto Gibson ia buscar a chave do portão do posto da administração florestal. Em seguida, fomos até o bar, onde Sinclair e Gibson tomaram cerveja e eu bebi um copo de cidra.

— Falta muito ainda? — indaguei.

— Mais uns seis quilômetros — respondeu Gibson. — Mas a estrada é muito ruim. Talvez fosse melhor você vir na frente conosco.

Então, abandonei a cadela e me sentei na frente entre os dois homens. O caminho, que mal podia ser chamado de estrada, era apenas uma trilha feita por trator, com sulcos profundos, usada pela Comissão da Administração Florestal. De vez em quando, passávamos por grupos de agentes florestais trabalhando com enormes motosserras e tratores. Acenávamos para eles, e eles nos acenavam também. Às vezes, tinham que retirar seus caminhões imensos do caminho para que pudéssemos passar. O ar estava carregado com o aroma de pinho. Quando finalmente chegamos ao pequeno alojamento usado por montanhistas e excursionistas de final de semana, saltamos do Land-Rover com o corpo dolorido da viagem. Fazia o mais completo silêncio no local. As florestas, os campos e as montanhas nos cercavam, e apenas um filete d'água a distância e o murmurar dos pinheiros acima de nós quebravam o silêncio.

— Encontro vocês no Lago Morlich. — disse Gibson. — Vocês acham que conseguem chegar lá por volta das seis horas?

— Se não chegarmos, nos espere. E se não aparecermos ao anoitecer, telefone para o Grupo de Resgate da Montanha — respondeu Sinclair, rindo. — Não vamos deixar a trilha, assim será bastante fácil nos achar.

— Não vá torcer o tornozelo — advertiu-me Gibson — e tenham um bom dia.

Concordamos em que teríamos. Ficamos olhando-o caminhar até o carro, manobrar e voltar pelo caminho pelo qual tínhamos vindo. O ruído do motor do seu carro desapareceu na imensidão da manhã. Ergui os olhos aos céus e cheguei, mais uma vez, à conclusão de que a Escócia tinha uma amplidão de céus mais do que justa... o céu varre e se eleva nos espaços, parecendo alcançar o infinito. Um casal de maçaricos passou voando, e a distância eu podia ouvir os berros das ovelhas.

— Vamos? — perguntou Sinclair, olhando-me de cima e sorrindo para mim.

Começamos a caminhada, com Sinclair à frente. Eu o seguia por um caminho que subia beirando um riacho que corria por sob os juncos. Passamos por uma fazenda de ovelhas isolada com cerca de madeira, e um cachorro veio latindo em nossa direção. A fazenda ficou para trás, e continuamos. O cachorro retornou ao seu canil, e tudo voltou a ficar em silêncio. Vez por outra, avistávamos trechos com cores, campainhas de flores azuis desabrochando, enormes cardos vermelhos e trechos tingidos da cor escura da urze, repletos dos zumbidos das abelhas. Quando o sol começou a se apinhar no céu, tiramos nossos suéteres e os amarramos à cintura. A trilha se estendia pelo morro e através das árvores. Sinclair, à minha frente, começou a assobiar. Eu me lembrei da música: "O casamento de Mairi". Nós a cantávamos quando éramos crianças, depois do chá na sala de visitas, com a minha avó fazendo o acompanhamento ao piano.

> "Vamos andando felizes, vamos sem parar
> dedo com dedo, calcanhar com calcanhar
> de braços dados, filas lado a lado
> Mairi vai se casar."

Chegamos à ponte e avistamos uma cachoeira que, curiosamente, não tinha as águas barrentas, mas verdes, da cor de jade chinês, mergulhando de uma altura de sete metros em um caldeirão de rocha. Ficamos parados na ponte observando a queda — um arco d'água, brilhante como uma jóia, caía num poço borbulhante e cercado por um arco-íris em miniatura. Nunca tinha visto algo tão lindo.

— Por que tem essa cor? Por que não é barrenta? — perguntei, gritando mais alto do que o estrondo das águas.

Sinclair respondeu que tinha aquela coloração porque a água naquele local vinha diretamente dos picos de calcário, de modo que ainda não havia sido conspurcada pela turfa. Ficamos um pouco ali, até que ele disse que não tínhamos mais tempo a perder e que deveríamos prosseguir logo.

Como estímulo, cantamos novamente, competindo para ver quem se lembrava da letra. Cantamos "A estrada para as ilhas", "A casa do oeste" e "Siga-me", que é a melhor canção de marcha de todas. Logo em seguida, a trilha começou a ficar cada vez mais escarpada, levando até o sopé de uma montanha imensa e subindo por ela, o que nos obrigou a parar de cantar, pois precisávamos de todo o nosso fôlego. O chão estava repleto de raízes velhas de urzes e muito enlameado. A cada passo, uma lama escura saía de cada lado dos meus sapatos. Minhas pernas começaram a doer; constatei que eu estava ficando sem fôlego... e, embora sempre fixasse como objetivo um cume adiante, parecia haver sempre mais um esperando em seguida. Aquilo era desanimador.

E então, justo quando perdia toda a esperança de chegar a algum lugar, surgiu diante de nós a ponta negra de uma montanha com seu cume escarpado rasgando o azul do céu, e seu flanco descendo uns trezentos metros, ou mais, até um vale estreito e dourado.

— Sinclair, o que é aquilo? — indaguei, parando e apontando para a montanha.

— O Pico do Diabo.

Ele havia trazido um mapa. Sentamo-nos, e ele estendeu o mapa sobre o chão, apoiando-o com pedras para que o vento não o levasse. Localizou, em seguida, todos os picos vizinhos. Ben Vrottan, Cairn Toul, Ben Macdui e a grande crista que leva a Cairngorm.

— E que vale é esse?

— Glen Dee.

— E esse riozinho?

— O riozinho a que você se refere é o próprio Rio Dee, que vimos, ainda claro, no início de sua nascente.

E de fato parecia piada comparar um riacho modesto com o rio majestoso que vimos mais cedo pela manhã.

Comemos um pouco de chocolate e partimos novamente, dessa vez, por sorte, morro abaixo, seguindo pela trilha que levava a Lairig Ghru. O caminho serpenteava à nossa frente — um rabisco branco através da grama marrom — subindo suavemente até um ponto distante no horizonte onde as montanhas e o céu pareciam se encontrar. Andamos mais um pouco, e o Pico do Diabo se ergueu adiante e acima de nós. Caminhamos e nos vimos isolados — verdadeiramente isolados. Não se viam coelhos, lebres, veados, nem tampouco perdizes. Nem mesmo águias. Nada para quebrar o silêncio. Nenhum ser vivo se mexia. Ouvíamos apenas o som de nossos próprios passos e do assobio de Sinclair.

"Tanto arenque, tanta comida,
Tanta turfa para encher a cesta
Também tantas crianças bonitas
Ergamos um brinde a Mairi."

Logo depois, avistamos uma casa de pedra construída no sopé da montanha na outra margem do rio.

— O que é aquilo? — indaguei.

— É uma cabana para abrigar montanhistas e andarilhos quando o tempo está ruim.

— Como é que estamos indo no cronômetro?

— Bem.

— Estou com fome — reclamei depois de algum tempo.

— Quando estivermos próximos à cabana, vamos parar para comer — prometeu, olhando para trás por cima dos ombros e rindo.

Mais tarde nos deitamos de costas sobre a grama agitada pelo vento; Sinclair, com a cabeça apoiada em seu suéter, e eu, com a minha apoiada em sua barriga. Olhei para o céu azul e vazio e percebi que estar com um primo era algo estranho — às vezes, éramos tão íntimos um do outro como dois irmãos, mas outras vezes também havia um certo desconforto entre nós. Disse a mim mesma que esses sentimentos ocorriam por não sermos mais crianças... ou porque achava Sinclair incrivelmente atraente, embora isso não explicasse totalmente uma certa barreira instintiva, como se, no fundo, um alarme soasse sinalizando perigo.

Uma mosca, ou um mosquito, ou algum outro tipo de inseto pousou no meu rosto. Eu o enxotei, mas ele pousou novamente.

— Miserável! — exclamei.

— Quem? — indagou Sinclair, sonolento.

— Uma mosca.

— Onde?

— No meu nariz.

Ele abaixou a mão para afastar a mosca. Deixou sua mão repousando sobre meu maxilar e ficou acariciando meu queixo com os dedos.

— Se dormirmos, vamos acordar com o Gibson e todo o grupamento de resgate da montanha vindo nos procurar feito um raio pelo desfiladeiro.

— Não vamos dormir.

— Como pode ter tanta certeza?

Não respondi. Ainda não conseguia falar dos meus medos interiores, do aperto no estômago ao toque de sua mão... o fato era que eu não sabia se esse aperto estava ligado ao sexo ou ao medo. E sexo parecia ser uma palavra incrível para se usar com relação a Sinclair; mas, agora, a conversa que eu ouvira na noite anterior fora desenterrada do meu consciente e ocupava novamente os meus pensamentos, como ocorre com um cão que se ocupa com um osso velho e de gosto ruim. Disse a mim mesma que deveria ter insistido em falar com minha avó antes de sair pela manhã. Bastaria uma olhada em seu rosto e tomaria conhecimento de toda a situação. Mas ela ainda não havia aparecido, até o momento em que deixamos a casa, e, caso ela estivesse dormindo, eu não iria querer incomodá-la.

— Qual é o problema? — inquiriu Sinclair após eu ter me mexido. — Você está tão tensa. Deve estar com algum problema que não quer me contar, ou algum sentimento de culpa.

— Por que me sentiria culpada?

— Eu é que pergunto. Talvez seja por ter abandonado o papai.

— Meu pai? Você deve estar brincando.

— Você me disse que estava tão feliz em bater a poeira de Reef Point dos seus lindos calcanhares.

— Não. Mas no momento meu pai está sendo muito bem cuidado e não é nem um pouco digno de sentimentos de culpa.

— Então deve ser outra coisa — falou enquanto alisava gentilmente o meu rosto com o polegar. — Já sei, é o advogado apaixonado.

— *Quem*? — dessa vez meu espanto era genuíno.

— O advogado. Você sabe quem, o velhaco.

— Ainda não sei do que você está falando — mas claro que eu sabia.

— David Stewart, meu amor. Você sabia que ele mal conseguia tirar os olhos de você ontem à noite? Ele ficou olhando para você durante todo o jantar, com um brilho de luxúria no olhar. Devo admitir que você estava um espetáculo delicioso. Onde você comprou aquela roupa oriental?

— Em São Francisco, e você está sendo ridículo.

— Ridículo não... sinceramente, o vestido chamava muito a atenção. O que você acha de se tornar a queridinha de um velho?

— Sinclair, ele não é velho.

— Acho que tem cerca de trinta e cinco anos. Mas é tão confiável, minha querida — falou com a voz assumindo um tom doce de algum tipo de viúva dissecada. — E tão bom moço.

— Você está com ciúmes.

— Tudo bem. — E, sem alterar a expressão do rosto, continuou: — Quando é que você volta para a América?

— Por quê? — perguntei, tomada de surpresa.

— Só queria saber.

— Daqui a um mês, talvez.

— Tão cedo assim? Pensei que você fosse ficar de vez, abandonar seu pai e fincar suas raízes no seu país de origem.

— Eu gosto demais do meu pai para abandoná-lo. E, além do mais, o que eu faria aqui?

— Você poderia arranjar um emprego.

— Você está parecendo a minha avó. Eu não conseguiria um emprego, porque não tenho nenhuma qualificação.

— Você poderia trabalhar como secretária.

— Não. Toda vez que tento datilografar alguma coisa, tudo sai em vermelho.

— Você poderia se casar — falou.

— Não conheço ninguém.

— Você me conhece — disse Sinclair.

Seu polegar alisando minha bochecha ficou imóvel de repente. Logo depois me sentei e me virei para olhar para ele. Seus olhos estavam mais azuis do que o céu, mas seu olhar não revelava nada.

— O que você disse?

— Eu disse que "você me conhece" — repetiu, enquanto sua mão se movia e segurava meu pulso, envolvendo-o facilmente com os dedos.

— Você não pode estar falando sério.

— Por que não? Tudo bem. Então vamos fingir que eu esteja falando sério. O que você me diria?

— Bem, em primeiro lugar, isso seria praticamente incesto.

— Bobagem!

— E por que se casar comigo? — perguntei, já mais interessada no rumo que a conversa tomava. — Você sabe muito bem que nunca achou graça nenhuma em mim, você vivia me dizendo isso.

— Não agora. Você não é mais sem graça. Você se transformou em uma linda *viking*...

— ... e eu não tenho talento algum. Não sei nem fazer arranjos florais.

— Por que diabos eu iria querer que você fizesse arranjos florais?

— E, mesmo assim, é difícil acreditar que não haja filas de mulheres interessadas, espalhadas pelo país inteiro, morrendo de paixão por você e sonhando com a possibilidade de acrescentarem Bailey ao sobrenome.

— Pode ser — respondeu, demonstrando uma satisfação irritante. — Mas não estou interessado nelas.

Pensei na idéia de nos casarmos e, surpreendentemente, achei-a fascinante.

— Onde iríamos morar?

— Em Londres, é claro.

— Eu não quero morar em Londres.

— Você está louca. Londres é o único lugar decente para se viver. Tudo acontece lá.

— Eu gosto do campo.

— Podemos ir para o campo nos finais de semana; é o que sempre faço. Vou e encontro os amigos...

— E faz o quê?

— Circulo. Velejo. Participo de corridas...

— Corridas? — indaguei, me pondo em alerta.

— Você nunca esteve em uma disputa de carros? É a coisa mais divertida do mundo — respondeu, sentando-se e apoiando-se nos cotovelos, de modo que seus olhos ficaram na mesma altura dos meus. — E, então, estou conseguindo convencer você?

— Há um pequeno detalhe que você não está levando em consideração.

— Qual?

— O amor.

— Amor? — repetiu, sorrindo. — Mas Janey, é claro que nos amamos. Sempre nos amamos.

— Mas isso é diferente.

— Como assim?

— Não posso explicar se você não sente.

— Tente.

Sentei-me em silêncio, pensativa. Sabia que, de certa forma, ele tinha razão. Sempre o amara. Na minha infância, ele era a pessoa mais importante da minha vida. Mas eu não estava totalmente certa quanto ao tipo de homem que ele havia se tornado. Com receio de que ele pudesse ler os pensamentos estampados em meu rosto, abaixei a cabeça e comecei a arrancar a grama dura, puxando os tufos pela raiz e soltando-os em seguida para serem levados pelo vento.

— Acho que é porque nós dois mudamos. Você se tornou uma outra pessoa, e eu sou praticamente uma americana — respondi por fim.

— Oh, Janey...

— Mas não é verdade? Cresci lá, fui educada lá... o fato de possuir um passaporte britânico não muda coisa alguma. Nem mesmo o modo como me sinto com relação à vida.

— Você está caminhando em círculos. Você sabe disso, não sabe?

— Posso até estar. Mas não se esqueça de que essa conversa toda é apenas uma hipótese... estamos discutindo uma suposição...

Ele inspirou profundamente, como se fosse dar continuidade à discussão, mas acabou desistindo, com um sorriso.

— Podíamos ficar sentados aqui o dia inteiro, falando até cansar. Não é mesmo?

— Vamos então?

— Vamos, ainda temos pelo menos quinze quilômetros pela frente. Mas já caminhamos bastante, e, para sua informação, esse comentário deve ser compreendido como uma ambigüidade.

Sorri. Ele me segurou pelo pescoço e puxou meu rosto de encontro ao seu, beijando-me na boca ainda aberta, no meio de um sorriso.

Confesso que estava esperando por esse momento, mas ainda não estava preparada para a reação de pânico que se seguiu. Tive de me manter calma em seus braços, esperar até que ele terminasse; quando finalmente se afastou, fiquei, por uns instantes, parada onde estava. Comecei, então, a pôr lentamente na mochila o papel onde os sanduíches estavam embrulhados e as canecas vermelhas de plástico. De repente, nosso isolamento se transformou em algo assustador, e percebi que nós dois, minúsculos como formigas, éramos os únicos seres vivos naquela vasta e desértica paisagem. Eu me perguntei se Sinclair havia me levado para lá com a intenção de começar aquela conversa insólita, ou se a proposta de casar-se comigo era apenas um capricho, uma idéia saída do nada.

— Sinclair, temos que ir agora — eu disse, apressando-o —, temos mesmo.

Seu olhar era circunspecto.

— Tudo bem — ele respondeu sorrindo, levantando-se em seguida, retirando a mochila de minhas mãos e caminhando pela trilha que subia, a distância, em direção ao desfiladeiro.

Chegamos em casa ao anoitecer. Durante os últimos poucos quilômetros que faltavam, andei às cegas, apenas pondo um pé adiante do outro, não me atrevendo a parar, porque, se assim o fizesse, não seria mais capaz de prosseguir. Quando finalmente chegamos à última curva do caminho e pude avistar, por entre as árvores, a ponte, o portão, Gibson e seu jipe nos esperando na estrada em frente, mal pude acreditar que havíamos conseguido. Com todos os músculos doloridos, caminhei os últimos metros, pulei o portão e me atirei no carro; quando tentei acender o meu cigarro, percebi que minhas mãos estavam tremendo.

Voltamos para casa sob a luz púrpura do crepúsculo. À nossa direita, podíamos ver uma lua nova minúscula, clara e fina como um cílio, ainda se erguendo. Os faróis do carro penetravam na estrada, revelando um coelho, que correu procurando proteção, e os olhos de um cão errante, que brilharam como duas contas para depois sumirem. À minha frente, os dois homens conversavam, mas acabei desmaiando, muda de cansaço, que não era apenas físico.

Naquela noite, fui despertada pelo toque de um telefone. Sua campainha aguda invadiu meus sonhos e me puxou do sono feito um peixe no anzol. Eu não tinha nenhuma idéia de que horas eram, mas, virando a cabeça, percebi que a lua estava sobre o lago com seus reflexos tocando as águas escuras com pequenos tons de prata.

Ouvi o som insistente de uma campainha. Ainda meio tonta, levantei-me da cama e caminhei através do meu quarto até o patamar escuro da escada. O telefone estava lá embaixo na biblioteca, mas havia, também, uma extensão na parte de cima da casa, num corredor que dava nos antigos dormitórios, e foi para lá que me dirigi.

Talvez a campainha tivesse parado de tocar enquanto eu ia, semiconsciente, até lá, mas eu estava sonolenta demais para poder ter registrado aquilo, de modo que, quando alcancei o telefone e o atendi, já havia uma voz falando. Era uma voz feminina, desconhecida, mas de um tom agradável e atraente: "... claro que tenho certeza. Estive com o médico hoje à tarde, e ele disse que não há nenhuma dúvida. Olha, eu acho melhor a gente conversar sobre isso... Eu queria ver você de qualquer forma, mas não posso sair daqui..."

Ouvindo aquilo ainda um tanto entorpecida, achei que as linhas estivessem cruzadas. A mulher da central de Caple Bridge havia cometido algum engano, ou ido dormir, ou qualquer coisa. Aquela chamada não era para nós. Eu ia falar, quando uma voz de homem interrompeu e, de repente, eu me vi completamente acordada e bem consciente.

— É tão urgente assim, Tessa? — perguntou Sinclair do outro lado da linha.

— Claro que é urgente... não temos tempo a perder... — Então, menos calma, como se estivesse prestes a ter um ataque de nervos, completou: — Sinclair, eu estou esperando um bebê.

Coloquei o fone no gancho, com cuidado, sem fazer barulho. O aparelho fez um pequeno clique, e as vozes sumiram. Fiquei em pé na escuridão, tremendo, e então voltei para o patamar da escada e fiquei debruçada no corrimão, ouvindo. A escada e o *hall* se abriram embaixo de mim, negros como um poço; mas, através da porta fechada da biblioteca, ouvi o sussurrar inconfundível da voz de Sinclair.

Meus pés estavam gelados. Com frio, eu me esgueirei de volta para meu quarto, fechei a porta com cuidado e voltei para a cama. Ouvi o clique do telefone e vi que a ligação havia terminado. Logo depois, Sinclair subiu em silêncio. Ele entrou em seu quarto, e ouvi sons suaves enquanto ele se movimentava, abrindo e fechando gavetas. Então, ele saiu novamente e desceu mais uma vez. A porta da frente se abriu e fechou. Momentos depois, ouvi o ronco de tigre do Lotus enquanto percorria a rua e entrava na estrada principal, perdendo-se na distância.

Percebi que eu estava tremendo como não ocorria desde criança, despertando de um pesadelo e convencida de que havia fantasmas escondidos em meu armário.

8

Na manhã seguinte, quando desci, encontrei minha avó à mesa do café.

— Sinclair foi a Londres — ela disse, enquanto eu me inclinava para beijá-la.

— Como você sabe?

— Ele deixou uma carta no *hall*... — respondeu, retirando uma de várias cartas de um maço e a entregou para mim em seguida. Ele havia usado o papel espesso com o timbre de *Elvie*. Sua caligrafia era forte, com tinta preta e repleta de sua personalidade.

> "Mil desculpas, mas tive que ir ao sul por um ou dois dias. Devo estar voltando para casa na segunda à noite ou na terça pela manhã. Cuidem-se enquanto eu estiver fora, e não me criem problemas.
>
> Beijos,
>
> Sinclair."

Era tudo. Larguei a carta sobre a mesa.

— O telefone tocou ontem à noite por volta de meia-noite e meia. Você ouviu? — perguntou minha avó.

— Ouvi — respondi, enquanto me servia de café, grata por ter uma razão para não ter de encará-la.

— Eu ia atender, mas estava quase certa de que era para Sinclair, então o deixei tocar.

— Entendo... — falei, trazendo a xícara cheia até a mesa. — Isso acontece com freqüência?

— Ah, sim, bastante.

Enquanto ela separava algumas contas, ocorreu-me que ela parecia estar tão tensa quanto eu, tentando manter-se ocupada.

— Ele tem uma vida tão movimentada, e esse emprego parece exigir tanto de seu tempo... não é como trabalhar em um escritório, das nove às cinco.

— Não, suponho que não — concordei. O café estava quente e forte, o que ajudou a afrouxar o nó de tensão que ambas devíamos estar sentindo na garganta.

— Talvez seja uma namorada — continuei, animada pelo café.

— Talvez sim — respondeu com seu usual olhar azul penetrante.

Apoiei meus cotovelos na mesa e, tentando parecer o mais casual possível, falei:

— Acho que deve ter mais de cem. Ele ainda é a coisa de duas pernas mais bonita que já vi. Ele costuma trazer as namoradas aqui? Você já conheceu alguma...?

— Algumas vezes, quando estive em Londres... Ele as levava para jantar ou íamos ao teatro juntos.

— Alguma vez você achou que ele fosse se casar com alguma delas?

— Como posso ter certeza? — perguntou. Sua voz soava fria, quase desinteressada. — A vida que ele leva em Londres é tão diferente da que ele leva quando vem para cá. Elvie é uma espécie de retiro para Sinclair... Ele apenas vagueia por aqui. Acho até que se sente feliz de ficar um pouco longe das noitadas e dos almoços pagos pela firma.

— Então nunca houve alguma de quem você gostasse mais?

— Sim, houve — respondeu enquanto punha as cartas sobre a mesa e retirava os óculos, sentando-se em seguida e olhando, através da janela, para o lago além do jardim, que brilhava com tons azuis ao sol de outro dia perfeito de outono. — Ele a conheceu na Suíça, esquiando. Acho que se encontraram muitas outras vezes depois que ela voltou para Londres.

— Esquiando? — indaguei. — Você já me mandou uma foto dos dois.

— Mandei? Ah, sim, é verdade. Foi tirada no Ano-novo em Zermatt. Foi lá que se conheceram. Se não me engano, ela estava participando de alguma competição. Sabe? Aqueles torneios internacionais...

— Ela deve ser muito boa.

— É mesmo. E muito famosa.

— Você a conheceu?

— Conheci. Sinclair a trouxe para almoçar no Connaught quando estive em Londres no verão. Ela me pareceu encantadora.

— Como ela se chama? — perguntei, apanhando uma torrada e começando a passar manteiga.

— Tessa Faraday... Você provavelmente já ouviu falar dela.

E havia mesmo, mas não da forma como minha avó achava. Olhei para a torrada na qual passava manteiga e, de repente, me dei conta de que, se a comesse, certamente teria náuseas.

* * *

Depois do café, subi, apanhei meu álbum duplo de fotos da família e retirei dele o retrato de Sinclair que minha avó me havia enviado e que eu arrumara de modo que apenas ele aparecesse, ocultando sua companheira.

Mas, dessa vez, estava interessada apenas nela. Ela era uma moça esbelta, baixa, com olhos escuros, e sorria na foto, com os cabelos presos por uma fita e com cachos dourados ocultando-lhe as orelhas. Ela vestia um terno feminino de veludo enfeitado com bordados. Estava em pé, enlaçada pelo braço de Sinclair, ambos emaranhados por metros e mais metros de tiras de papel para celebrar a passagem do ano. Parecia alegre e cheia de vida, e, ao me lembrar da voz preocupada ao telefone na noite anterior, temi por ela.

O fato de Sinclair ter partido tão rapidamente para o sul — presumivelmente para vê-la — deveria ter-me tranqüilizado, mas, de alguma forma, não causou esse efeito. Sua ida fora muito rápida, livre de qualquer tipo de preocupação ou consideração por mim ou pela minha avó. Com relutância, eu me lembrei da atitude que ele tivera em relação a Gibson, quando ele e minha avó discutiam a possibilidade de aposentarem-no, e percebi que, inconscientemente, eu estava inventando desculpas para explicar seu comportamento.

Mas agora era diferente. Fora obrigada a ser honesta comigo mesma. O adjetivo "desumano" logo me veio à mente. No tocante às pessoas simples, ele podia ser completamente desumano. Sofrendo de preocupação por aquela moça desconhecida, eu só esperava que ele tivesse compaixão por ela.

— Jane! — chamou minha avó, do *hall*.

Pus a foto de volta no álbum e fui até o patamar da escada.

— Sim?

— O que você vai fazer hoje?

Desci até o pé da escada e sentei-me nos degraus.

— Vou fazer compras — respondi, sentada lá. — Tenho que comprar uns suéteres; senão, vou morrer de frio.

— Aonde você pretende ir?

— A Caple Bridge.

— Querida, você não vai achar nada que preste em Caple Bridge.

— Estou certa de que posso comprar um suéter lá.

— Tenho que ir a Inverness para uma reunião com a diretoria do hospital... você não quer uma carona?

— Não, obrigada. David Stewart vai me dar algum dinheiro. Ele trocou uns dólares que meu pai me deu. Ele me prometeu um almoço.

— Nossa! Quanta gentileza... mas como é que ele vai levar você a Caple Bridge?

— Vou de ônibus. A senhora Lumley me disse que há ônibus para lá a toda hora, no fim da estrada.

— Bem, já que você insiste — respondeu, ainda aparentando dúvida. — Você parece cansada, Jane — continuou, com uma mão apoiada no pilar da escada, retirando os óculos e olhando cuidadosamente para mim. — Ontem você se esforçou demais com aquela caminhada toda.

— Não, eu adorei ter ido.

— Eu deveria ter pedido a Sinclair para esperar um pouco, um ou dois dias...

— Mas aí teríamos perdido o tempo maravilhoso que fez.

— Talvez. Mas notei que você não comeu nada no café.

— Nunca como. Verdade.

— Bem, certifique-se de que David lhe dê um almoço decente... — concordou, enquanto se retirava. — Ah, Jane... já que você vai às compras — disse, lembrando-se de algo e voltando — deixe-me comprar-lhe um casaco. Você tem que ter algo realmente quente para usar.

— Mas o que há de errado com este? — perguntei com perspicácia e rindo, a despeito de tudo. Adorava quando ela agia de acordo com o esperado.

— Para lhe ser franca, você parece um funileiro usando esse casaco.

— Nos dez anos em que eu o uso, nunca ninguém me disse isso.

— A cada dia que passa, você se parece mais e mais com seu pai — falou, suspirando, sem rir da minha piada sem graça. Em seguida, foi até a sua escrivaninha e preencheu um cheque que seria suficiente para comprar um casaco longo de pele de marta com capuz, caso eu quisesse.

No final da estrada, sob um sol brilhante, esperei pelo ônibus que me levaria a Caple Bridge. Não me lembrava de ter visto um dia tão claro, fresco e cheio de cor. Havia chovido um pouco durante a noite, de modo que tudo brilhava limpo, e as estradas úmidas refletiam o azul do céu. As cercas vivas estavam repletas de frutos silvestres vermelhos, as samambaias estavam douradas e as folhas adquiriam todos os matizes de cores, que iam do carmim-escuro ao amarelo-claro. O ar que vinha com a brisa que soprava do norte estava frio e doce como vinho gelado e ligeiramente cortante, indicando que, um pouco mais para o norte, a primeira neve do inverno já havia caído.

O ônibus apontou na esquina, parou para mim, e entrei. Estava cheio de moradores do campo que iam a Caple Bridge para as compras da semana, e o único lugar que achei era ao lado de uma mulher gorda com um cesto no colo. Ela usava um chapéu de feltro azul; ela era tão grande, que só havia espaço no banco para metade de mim, e a cada vez que o ônibus fazia uma curva, eu corria um risco mortal de ser atirada para fora do banco.

Caple Bridge ficava a uns sete quilômetros dali, e eu conhecia a estrada tão bem quanto conhecia Elvie. Já havia caminhado e andado de bicicleta por ela, e visto da janela do carro da minha avó todos os pontos de referência ficarem para trás. Sabia os nomes das pessoas que moravam nos chalés da beira da estrada... senhora Dargie, senhora Thompson e a senhora Willie McCrae. E lá estava a casa onde havia um cachorro bravo; acolá, o campo onde uma manada de bodes brancos pastava.

Alcançamos o rio, seguindo ao longo dele por mais ou menos um quilômetro. Então, a estrada fez um S, atravessando o rio por meio de uma ponte estreita em forma de arco. Até então, aparentemente, nada havia mudado em todos os anos em que estivera fora, mas quando o ônibus passou cuidadosamente pela crista da ponte vi obras com sinalizações à nossa frente e percebi que estavam fazendo escavações a fim de eliminar uma curva perigosa.

Havia sinais e avisos por toda a parte. As cercas

vivas foram retiradas com tratores, deixando grandes marcas de terra crua em seu caminho; operários trabalhavam com picaretas e pás, e enormes escavadeiras rosnavam como monstros pré-históricos; sobre tudo isso, pairava no ar o aroma nítido e delicioso de piche quente.

As luzes estavam vermelhas. Esperamos, com o motor ligado, e, quando ficaram verdes, o ônibus prosseguiu, passando pelo trecho entre os sinais e retornando à estrada. A mulher ao meu lado começou a se mexer, conferindo o conteúdo de sua cesta e olhando em direção ao *rack*.

— Deseja alguma coisa? — perguntei.

— Você poderia ver se eu coloquei meu guarda-chuva ali em cima?

Eu me levantei, vasculhei o *rack* e encontrei seu guarda-chuva. Passei para ela, também, uma caixa de ovos e um ramalhete de ásteres desgrenhados e mal embrulhados em papel de jornal. Quando terminei de apanhar e entregar-lhe tudo, o ônibus já havia chegado ao nosso destino. Ele dobrou na rua da Prefeitura, passou pela praça do mercado e, finalmente, parou.

Fui a primeira a descer, já que não tinha nem cestas nem entulhos para levar. Minha avó havia me explicado onde ficava o escritório de advocacia e, de onde eu estava, podia ver o prédio quadrado feito de pedra que ela havia descrito, exatamente à minha frente, do lado oposto à rua de pedras hexagonais da praça do mercado. Esperei até que o sinal se fechasse, atravessei a rua e entrei no prédio, em cujo *hall* pude ver, num quadro preso à parede, que o senhor David Stewart atendia na sala 3. Subi pela escada escura e bem decorada em verde-musgo e marrom cor de terra, passei sob um vitral que não deixava penetrar absolutamente nenhuma luz e, por fim, bati na porta.

— Entre — disse David Stewart.

Ao entrar, fiquei maravilhada ao ver que, pelo menos, seu escritório era claro e tinha carpete. A janela dava para a movimentada praça do mercado, e havia um jarro com astropólios sobre a fachada de mármore da lareira; de alguma forma, ele conseguira criar um ambiente ao mesmo tempo profissional e alegre. Devido ao fato de ser sábado, suponho, ele estava usando uma camisa de xadrez bem esportiva e um *blazer* de *tweed*. Quando ergueu a cabeça e me sorriu dando-me as boas-vindas, o nó que me apertava durante a manhã inteira desatou-se.

— Está uma manhã linda — falou, levantando-se.

— Não é mesmo? Boa demais para se estar trabalhando. Você sempre trabalha aos sábados?

— Às vezes... Depende de quanto há para ser feito. Dá para terminar um volume incrível de trabalho quando não há gente telefonando o tempo todo. Troquei o dinheiro para você com a cotação de... espere um momento, eu anotei... — falou, abrindo uma gaveta em sua escrivaninha.

— Não se preocupe com isso.

— Você deveria se preocupar, Jane; não deve contrariar o seu sangue escocês. Você deve certificar-se de que eu não a tenha trapaceado em um centavo sequer.

— Bem, caso você tenha me trapaceado, aceite a diferença como comissão — argumentei, estendendo a mão e recebendo um maço de notas e algumas moedas.

— Pronto. Agora você já pode se juntar ao time dos perdulários, muito embora eu não saiba dizer-lhe onde gastá-lo em Caple Bridge.

— Foi isso que minha avó me disse. Ela queria me levar a Inverness, mas eu disse que iria almoçar com você — respondi, guardando o dinheiro no bolso do meu casaco de funileiro.

— Você gosta de bife?

— Eu não como bife desde o meu aniversário, quando meu pai me levou para jantar. Em Reef Point vivíamos à base de *pizzas* frias.

— Quanto tempo você vai levar fazendo compras?

— Meia hora.

— Só? — perguntou, aparentando surpresa.

— Odeio fazer compras. Nunca nada me cai bem e, quando cai, nem sempre eu gosto... Vou voltar vestindo um monte de roupas que não me ficam bem e, provavelmente, com um péssimo humor.

— Quando você voltar, vou falar que as roupas estão maravilhosas e convencê-la a ficar de bom humor novamente — ele disse, olhando para o relógio. — Meia hora... posso esperar você aqui ao meio-dia então?

— Tudo bem.

Saí com o bolso cheio de dinheiro e procurando por um lugar onde gastá-lo. Passei por açougues, mercearias, comerciantes de carne de caça, casa de armas e até mesmo uma oficina. Por fim, entre a inevitável sorveteria italiana que existe na maioria das cidadezinhas escocesas e a agência de correios, encontrei, depois de muita procura, Isabel McKenzie Modas, ou melhor, Modas de Isabel McKenzie. Entrei por uma porta de vidro, modestamente revestida em tela, e me vi em uma salinha cheia de prateleiras de roupas de aparência desalentadora. Havia um balcão de vidro repleto de roupas de baixo nas cores pêssego e bege e, aqui e acolá, avistavam-se uns pulôveres bem dobrados, feitos de fios coloridos.

Fiquei desanimada; porém, antes que pudesse fugir dali, uma cortina se abriu no fundo da loja, e uma mulher baixinha, com cara de joaninha, surgiu, usando um terno de jérsei duas vezes o seu tamanho e um broche enorme de Cairngorm.

— Bom-dia — saudou-me.

Talvez ela tivesse começado a vida em Edimburgo, e eu me perguntava, também, se ela era Isabel McKenzie em pessoa. Caso fosse, o que a havia trazido a Caple Bridge? Talvez lhe tivessem dito que o negócio de roupas aqui fosse melhor.

— Oh... Bom-dia. Eu... eu queria um suéter.

Tão logo pronunciei a palavra, vi que cometera meu primeiro erro.

— Temos alguns maravilhosos. Você gostaria de um feito de lã ou *bouclé*?

— Lã.

— Que tamanho você veste?

Respondi que supunha tamanho médio.

Começou a descer tudo das prateleiras, e logo me vi perdida apalpando suéteres cor-de-rosa, verde-musgo e marrom.

— Vo-você não tem outras cores?

— Que outra cor você tem em mente?

— Bem, azul-marinho.

— Ah, mas quase não se está usando azul-marinho este ano.

Eu me perguntei onde ela havia conseguido aquela informação. Talvez possuísse uma linha direta com Paris.

— Este tom aqui é muito elegante...

Era azul-petróleo, uma cor que, estou certa, não combina com nada nem com ninguém.

— Queria algo mais discreto... sabe, quente e pesado... talvez um suéter com gola pólo...

— Ah, não, não temos golas-pólo... golas-pólo não estão...

— Tudo bem então — falei, interrompendo-a bruscamente, porque já estava ficando desesperada. — Não vou levar o suéter... o jérsei... Você não tem umas saias?

— Você queria em *tartan* ou em *tweed*? — perguntou, começando toda a ladainha novamente.

— Talvez em *tweed*.

— Quanto você tem de cintura?

Respondi, já começando a soar ríspida. Houve mais procura, dessa vez através de uma prateleira de aparência abjeta. Ela trouxe duas saias e as estendeu diante de mim, com um gesto dramático. Uma delas era inenarrável. A outra não era tão horrível assim, em sarja marrom e branca. Desanimada, mas concordando em experimentá-la, eu me espremi em um espaço pequeno como um armário, dividido ainda por uma outra cortina, e entregue à própria sorte para caber nele. Com alguma dificuldade, lutei para me despir das roupas que usava e pus a saia. A saia *tweed* me incomodava, me apertava e grudava nas minhas meias-calças como se tivesse sido feita de cardo. Fechei as presilhas da cintura e o zíper, e me olhei no espelho. O efeito era assustador. A saia ziguezagueava em mim como uma peça de arte abstrata, fiquei com quadris de elefante, e o cós penetrava as minhas parcas carnes como um alicate de cortar arame.

Isabel Modes McKenzie tossiu discretamente e afastou a cortina como uma feiticeira.

— Oh, você ficou linda nela — disse. — *Tweed* lhe cai bem.

— Você não acha que está... bem, um pouco longa demais?

— As saias nesta estação estão mais longas, sabe...

— Sim, mas esta aqui está quase cobrindo meus joelhos...

— Bem, se você quiser, eu posso subir um pouco... ela é muito bonita... não há nada mais bonito do que um bom *tweed*...

Para poder escapar do seu assédio, eu poderia ter comprado a saia... mas dei mais uma olhada no espelho e fiquei decidida a não levá-la.

— Não. Não, acho que ela realmente não me serve... não é o que eu queria — disse, abrindo o zíper e me livrando da saia antes que ela pudesse me persuadir a comprar aquela coisa horrível. Ela apanhou a saia de volta, triste, desviando discretamente os olhos de minha calcinha.

— Talvez você pudesse experimentar a de *tartan*; as cores tradicionais são tão suaves...

— Não... — respondi, vestindo minha velha saia americana imprópria ao frio e que me pareceu o paraíso. — Não, acho que não vou levá-la... só achei que me fosse cair bem... muito obrigada.

Coloquei meu casaco, apanhei minha bolsa, e, juntas, de fininho, fomos andando em direção à porta cortinada. Ela alcançou a porta antes e a abriu para mim, relutando, como se estivesse deixando escapar uma presa preciosa de uma armadilha.

— Talvez quando você estiver passando por aqui da próxima vez...

— É... talvez...

— Eu vou estar recebendo meu novo estoque na semana que vem.

Diretamente de Dior, é claro.

— Obrigada... desculpe... bom-dia.

Fora e longe dali, e abençoada pelo ar livre, voltei e caminhei o mais rápido que pude. Passei pela casa de armas, e então, tomada por pura inspiração, retornei, entrei na loja e comprei, em exatos dois minutos, um grande suéter azul originalmente feito para um jovem mancebo. Tomada por um alívio indescritível pelo fato de minha manhã não ter sido um fracasso total e apertando o embrulho malfeito contra o peito, voltei ao encontro de David.

Enquanto ele empilhava uns papéis e trancava os armários, sentei-me sobre sua escrivaninha e contei-lhe a saga de minha desastrosa ida às compras. Temperada pelos seus comentários (ele conseguia imitar o sotaque de Edimburgo com perfeição), a estória ficou mais interessante; no fim, ri tanto, que minhas costelas começaram a doer. Logo depois que nos recuperamos, David enfiou uma pilha de arquivos em uma valise já abarrotada, deu uma última olhada ao redor, fechou a porta do escritório, desceu a escada sombria e saiu pela rua ensolarada e movimentada.

Ele morava a apenas uns noventa metros do centro da cidadezinha. Percorremos juntos a curta distância. A valise de David volta e meia roçava e batia em suas pernas compridas. Tivemos que nos separar para desviarmos de um carrinho de bebê estacionado e de duas mulheres fofoqueiras. Quando chegamos à casa onde ele morava, pude ver que ela fazia parte de um conjunto de casinhas de pedras de dois andares, todas idênticas, cada qual no seu pedacinho de terreno, com um jardim modesto na frente e com uma entrada de acesso coberta de pedras, que ia do portão à porta principal. A casa de David se distinguia das outras, apenas pela garagem que ele havia construído no espaço entre a sua casa e a do vizinho, com uma passagem para o carro feita de concreto. Ele também havia pintado a sua porta da frente de um amarelo-vivo.

David abriu o portão e eu o segui. Esperei que ele abrisse a porta. Ele me deu passagem, aguardando que eu entrasse primeiro. Havia um corredor pequeno com uma escada no final, portas de ambos os lados e uma cozinha, que podia ser vista através de uma porta aberta ao fundo. Sua casa poderia ser muito simples, mas ele — ou alguém — transformara-a em um ambiente charmoso, com carpetes, papéis de parede e gravuras esportivas cuidadosamente dispostas.

Ele tomou o pacote e o casaco de minhas mãos e os pôs sobre uma cadeira no *hall*, fazendo o mesmo com sua maleta. Em seguida, levou-me até uma sala de estar comprida e com janelas de ambos os lados. Só então pude apreciar a disposição da despretensiosa casinha, pois as janelas voltadas para o sul haviam sido transformadas em uma janela única de sacada, dando para um jardim comprido que se estendia, descendo em direção ao rio.

A sala em si era promissora, com prateleiras de livros e uma pilha de discos e revistas sobre uma mesinha em frente à lareira. Havia, também, poltronas, um sofá e uma estante antiga repleta de porcelanas chinesas, e sobre a lareira... fui conferir...

— Isto aqui é um Ben Nicholson? — Ele balançou a cabeça afirmativamente.

— Mas não é original — insisti.

— É sim. Minha mãe me deu um no meu aniversário de vinte e um anos.

— Este seu apartamento lembra aquele de sua mãe em Londres... tem o mesmo tipo de atmosfera...

— Provavelmente porque as mobílias vieram mais ou menos da mesma casa. E, claro, ela me ajudou a escolher as cortinas, os papéis de parede e coisas do gênero.

Secretamente feliz por ter sido a mãe quem o havia ajudado e não uma outra pessoa, fui até a janela.

— Quem iria imaginar que você tem um jardim deste?

Havia uma pequena área nos fundos, com mesa e cadeiras feitas de madeira, um gramado, no momento coberto de folhas caídas do outono, e canteiros de flores ainda repletos de rosas fora de estação e de feixes de astropólios lilases. Havia, também, um chafariz para pássaros e uma velha macieira inclinada.

— É você mesmo quem cuida do jardim?

— Não sei se você pode chamar isto aqui de jardim... como você pode ver, não é muito grande.

— Mas com o rio e tudo mais...

— Foi isso que me fez decidir comprar esta casa. Costumo dizer aos amigos que consigo pescar no Caple, e eles ficam espantados. Nem menciono que o rio fica a só nove metros...

Vi um monte de fotos arrumadas sobre a estante de livros e me senti fortemente atraída por elas.

— Esta aqui é sua mãe? E seu pai? Este, com mais ou menos doze anos e um sorriso cativante, é você?

— É sim.

— Você não usava óculos.

— Só vim a usar óculos depois dos dezesseis anos.

— O que aconteceu?

— Sofri um acidente. Foi numa guerra de bolinhas de papel na escola. Um garoto que corria à minha frente deixou um galho de árvore voltar e ele bateu no meu olho. Não foi culpa dele, poderia ter acontecido com qualquer um. Mas perdi parcialmente a visão desse olho e tenho usado óculos desde então.

— Puxa! Que azar!

— Até que não foi tão ruim assim. Consigo fazer qualquer coisa... exceto jogar tênis.

— Por que não consegue jogar tênis?

— Nem sei direito o porquê. Mas, quando vejo a bola, não consigo acertá-la e, quando a acerto, não consigo vê-la. Não dá para jogar desse jeito.

Fomos até a cozinha, que era pequena feito uma cozinha de barco, e tão limpa, que fiquei com vergonha ao me lembrar do quão relaxada eu era. Ele olhou no forno onde havia deixado umas batatas assando e então apanhou uma frigideira e manteiga, retirou um embrulho da geladeira respingado de sangue e o abriu, revelando dois bifes de uma polegada de espessura cada.

— Você vai preparar os bifes ou prefere que eu mesmo o faça?

— Pode prepará-los você... eu vou colocar a toalha na mesa.

Abri a porta que levava ao quintal dos fundos, que parecia um forno no calor fora do comum que fazia.

— Podemos almoçar aqui? Parece até que estamos no Mediterrâneo.

— Se você preferir...

— É maravilhoso... podemos usar esta mesa?

Mesmo conversando, ficando em seu caminho e tendo que perguntar onde estava tudo, acabei conseguindo pôr a mesa. Enquanto me ocupava com isso, ele preparou uma salada, desembrulhou um pão francês crocante e trouxe uns pratinhos com manteiga congelada que apanhou na geladeira. Depois que terminou tudo, e enquanto o bife ainda chiava na panela, ele encheu dois copos com vinho e saímos para nos sentar ao sol.

— Como foi ontem? — perguntou, de repente.

— Ontem?

— Você fez uma caminhada no Lairig Ghru — disse, piscando o olho para mim — ou não fez?

Tentei me lembrar de como havia sido e percebi que não conseguia me lembrar de nada, a não ser da conversa incrível que havia tido com Sinclair depois do lanche.

— Foi... legal. Maravilhoso, na verdade.

— Você não parece muito entusiasmada.

— Bem, foi maravilhoso — não conseguia me lembrar de nenhuma outra palavra.

— Mas extenuante, talvez.

— Sim. Fiquei cansada.

— Quanto tempo vocês levaram?

Novamente, mal conseguia me lembrar.

— Bem, voltamos ao anoitecer. Gibson nos apanhou no Lago Morlich...

— Hã-hã — ele disse, parecendo refletir sobre a minha resposta. — E o que o primo Sinclair está fazendo hoje?

Eu me abaixei, apanhei uma pedrinha e comecei a jogá-la para o alto, aparando-a nas costas da mão, como se estivesse jogando três-marias.

— Ele foi a Londres.

— A Londres? Pensei que ele estivesse de folga.

— Está sim — respondi, deixando a pedrinha cair e me abaixando para apanhar outra. — Mas ele recebeu um telefonema ontem à noite... não sei do que se tratava... encontramos um bilhete quando descemos para tomar café hoje pela manhã.

— Ele foi de carro?

Lembrei-me do ronco de tigre do Lotus, rasgando o silêncio da noite.

— Sim, foi de carro — deixei cair a segunda pedra. — Ele vai estar de volta amanhã ou depois. Na segunda-feira pela manhã, talvez, segundo ele próprio. — Eu não queria falar de Sinclair. Tinha medo de que David me fizesse perguntas, e, sem graça, tentei mudar de assunto. — Você consegue mesmo pescar da beira do jardim? Não pensei que houvesse espaço para arremessar a linha... e achei também que a macieira atrapalhasse...

Dessa forma, a conversa mudou para pescaria e começamos a falar disso. Contei a ele da vez que meu pai me levou ao rio Clearwater, em Idaho, nas férias...

— ... é cheio de salmões... você consegue praticamente tirá-los da água usando um alfinete entortado.

— Você gosta da América, não gosta?

— Gosto, gosto muito. — Ele ficou em silêncio, deitado de costas sob o sol; eu, animada pelo seu silêncio, falei mais do assunto e do dilema no qual, inevitavelmente, me encontrava. — É estranho pertencer a dois países. Parece que você nunca consegue se adaptar totalmente a nenhum dos dois. Quando eu estava na Califórnia, costumava sentir falta de Elvie. Agora que estou em Elvie...

— Você gostaria de voltar para a Califórnia.

— Não exatamente. Mas há coisas de que sinto falta.

— Por exemplo?

— Bem, coisas bem específicas. Do meu pai, claro. E do Rusty. Do som do Pacífico, tarde da noite, quando as ondas arrebentavam na praia.

— E das coisas não tão específicas?

— Ah, isso é mais complicado — respondi, tentando me lembrar do que realmente sentia falta. — Sinto falta de água gelada, da companhia telefônica Bell, de São Francisco, de aquecimento central, das feiras de plantas onde você pode comprar plantas e tudo que cheira à flor-de-laranjeira. — Eu me virei em direção a David, e vi que ele estava me observando. Nossos olhos se encontraram, e ele sorriu.

— Mas há coisas boas aqui também — eu disse.

— Como o quê, por exemplo?

— Agências de correios. Você compra de tudo numa agência de correios do interior; até selos. E o fato de o tempo nunca ser o mesmo por dois dias seguidos. É muito mais divertido. O chá da tarde, com bolinhos, biscoitos e pão de gengibre macio...

— Você está me lembrando, com seu jeito sutil, de que está na hora de comer aqueles bifes?

— Não, conscientemente.

— Bem, se não os comermos agora, eles vão acabar ficando intragáveis. Vamos.

Foi um almoço perfeito, degustado em circunstâncias perfeitas. Ele até abriu uma garrafa de vinho tinto e rascante, a bebida perfeita para acompanhar bife e pão francês. Terminamos com queijo, biscoitos e uma tigela de frutas frescas, coberta de uvas brancas. Descobri que estava faminta e comi exageradamente, limpando o prato com um pedaço grosso da casca do pão e já descascando uma laranja que estava tão suculenta, que escorria caldo das pontas dos meus dedos. Depois que terminei, David entrou para fazer o café.

— Vamos tomar o café aí fora? — perguntou da cozinha.

— Vamos sim, na beira do rio — respondi, indo até onde ele estava, para lavar as mãos na torneira.

— Tem um tapete na cômoda, no *hall*. Traga-o e se acomode lá fora, que eu levo o café.

— E os pratos?

— Pode deixar... o dia está bonito demais para desperdiçá-lo lavando louças na pia.

Era reconfortante ouvir dele o tipo de comentário que meu pai faria.

Entrei, apanhei o tapete e o levei para fora. Desci o declive do gramado e o estendi na grama sob o sol, apenas a alguns metros da beira do rio. Depois do verão longo e seco, o nível das águas estava baixo, e a margem coberta de seixos entre a grama e as águas marrons e escuras, como uma praia em miniatura.

A macieira estava repleta de frutos, alguns caídos próximos ao seu tronco. Sacudi a árvore, derrubando outras maçãs, que caíram sobre a grama, produzindo ruídos suaves e secos. Havia sombra sob a árvore e estava fresco. Sentia o aroma agradável de coisa velha, como acontece nos sótãos. Sentei-me na grama, apoiando as costas no tronco da árvore, e fiquei observando, através de uma malha de galhos e ramos, o rio banhado de sol. Tudo aquilo me fazia sentir muita paz.

Reconfortada pelo ambiente e satisfeita pela boa comida e pela companhia agradável de David, senti minha alma leve e disse a mim mesma que o momento era favorável para começar a ser mais sensata com relação aos meus medos semiconscientes. Que vantagem havia em deixá-los cozinhando na minha cabeça, incomodando feito dor de dente e me causando uma contínua dor de estômago?

Deveria ser realista em relação a Sinclair. Não havia nenhuma razão em achar que ele não assumiria o filho que Tessa Faraday estava esperando. Quando ele voltasse a Elvie, na segunda-feira, provavelmente nos diria que iria se casar e minha avó ficaria felicíssima (ela não achava a garota encantadora?), e eu também ficaria muito feliz, e nem precisaria mencionar nada da conversa ao telefone que havia escutado.

E quanto ao Gibson, ele realmente *estava* velho, não havia como negar; talvez, fosse melhor para todos os envolvidos se ele se aposentasse. Mas, caso ele realmente tivesse que ir embora, minha avó e Sinclair poderiam, certamente, arranjar uma casinha para ele, talvez até com um pedacinho de terra onde ele pudesse plantar legumes, verduras, criar algumas galinhas e se manter ocupado e feliz.

Quanto a mim... não seria tão fácil ignorar. Queria saber por quê, um dia antes, Sinclair viera com a idéia de nos casarmos. Talvez tivera sido apenas uma idéia divertida para passar a meia hora depois do piquenique. Se assim fora, estaria pronta para aceitá-la, mas o beijo que me dera não era coisa de primo e tampouco casual... só de lembrar aquilo me fazia sentir mal, e foi isso que me deixou tão confusa. Talvez ele tivesse feito aquilo de propósito, só para me perturbar. Ele sempre fora um brincalhão. Talvez só quisesse medir a minha reação.

— Jane!

— Uhm? — eu disse, voltando-me e vendo David Stewart me observando sob o sol, além da sombra da árvore. Por trás dele vi a bandeja com o café sobre o tapete e, ao mesmo tempo, percebi que ele já havia me chamado antes, mas eu não havia escutado. Ele abaixou a cabeça para passar sob os galhos da macieira e ficou em pé diante de mim, erguendo uma das mãos para se proteger da árvore.

— Algum problema? — perguntou.

— Por que você pergunta?

— Você parece preocupada. Também está muito pálida.

— Eu sempre fui pálida.

— E preocupada também?

— Não disse que estava preocupada.

— Aconteceu... alguma coisa ontem?

— Como assim?

— Nada, só notei que você não me pareceu muito entusiasmada ao falar da caminhada ontem.

— Não aconteceu nada.

Quis me afastar e deixá-lo ali, mas seu braço estava erguido na altura do meu ombro, e eu não conseguiria escapar sem ter que me abaixar para passar. Ele virou o rosto para me olhar do canto do olho, e, sob aquele olhar familiar e desconcertante, senti um calor tomar conta do meu rosto.

— Você uma vez me disse — prosseguiu, em tom divertido — que, quando você mente, você fica vermelha. Algo não está bem...

— Não, não é isso. Além do mais, não há nada de errado.

— Se você quisesse me contar qualquer coisa, você contaria, não é? Talvez eu possa ajudar.

Pensei novamente na garota em Londres, no Gibson... e em mim mesma, e todos os meus medos vieram à tona novamente.

— Ninguém pode ajudar — respondi. — Ninguém pode fazer nada.

Ele não insistiu mais. Voltamos para o sol e percebi que estava com frio e sentia a pele arrepiada. Sentei-me sobre o tapete quente e tomei o café. David me deu um cigarro para afastar os mosquitos-pólvoras. Em seguida, me deitei com a cabeça apoiada na almofada e o corpo estendido ao sol. Estava cansada, o vinho havia me deixado com sono. Fechei os olhos, os ruídos que vinham do rio tomaram conta de mim e acabei dormindo.

Acordei cerca de meia hora depois. David estava deitado a mais ou menos um metro de onde eu me encontrava, apoiado sobre um dos cotovelos e lendo um jornal. Espreguicei-me, bocejei e ele ergueu a cabeça.

— É a segunda vez que isso acontece — falei.

— O quê?

— É a segunda vez que acordo e vejo você na minha frente.

— Eu ia acordar você daqui a pouco mesmo, para levá-la em casa.

— Que horas são?

— Três e meia.

— Por que você não volta a Elvie para tomar o chá da tarde conosco? Minha avó iria adorar ver você — eu disse, olhando para ele sonolenta.

— Gostaria muito de ir, mas tenho que visitar um velhinho que mora lá onde Judas perdeu as botas. De vez em quando ele começa a fazer o maior estardalhaço por causa de seu testamento, e eu tenho que ir até lá para tranqüilizá-lo.

— Parece até o clima na Escócia, não é?

— Como assim?

— Numa semana você está em Nova Iorque, fazendo só Deus sabe o quê. Na semana seguinte, você vai até algum vale remoto para tranqüilizar a mente de um velho. Você gosta de ser advogado de cidade do interior?

— Sim, na verdade, gosto.

— Você se enquadra muito bem. Quero dizer... é como se você estivesse estado aqui a vida toda. Sua casa e tudo mais... o jardim. Tudo combina, como se alguém tivesse colocado você aqui.

— Você também combina com isso — falou David.

Desejei que ele explicasse melhor e, por uns instantes, pensei que ele fosse fazê-lo, mas ele pareceu mudar de idéia e, em vez disso, levantou-se, juntou as xícaras, os pires, o seu jornal e os levou de volta para dentro de casa. Quando voltou, eu ainda estava deitada, contemplando o rio. Ele ficou em pé na minha frente, colocou as mãos sob os meus ombros e me pôs de pé.

— Já fiz isso também — eu disse, me virando e me vendo envolta em seus braços.

— Só que daquela vez — falou — seu rosto estava inchado e manchado de tanto chorar, mas hoje...

— O que tem hoje?

— Hoje você está com umas doze sardas a mais — respondeu, rindo — e um monte de folhas velhas de macieira e grama nos cabelos.

David me levou para casa de carro. Ele havia abaixado a capota do carro, e os meus cabelos voavam e cobriam o meu rosto. David apanhou um cachecol velho de seda que estava em um console no painel do carro e deu-o para mim. Amarrei-o à cabeça.

Quando chegamos na parte da estrada em obras, as luzes estavam vermelhas. Então esperamos, com o motor em funcionamento, e vimos o tráfego que se aproximava em sentido contrário pela pista em mão dupla.

— Não consigo entender — disse David — por que, em vez de estreitar esse trecho da estrada, eles não demolem a ponte e constroem uma nova... ou então por que não fazem alguma coisa para acabar com aquela curva do outro lado.

— Mas a ponte é tão bonita...

— É perigosa, Jane.

— Mas todo mundo sabe disso e passa por ela a dois quilômetros por hora.

— Nem todo mundo sabe disso — falou, corrigindo-me secamente. — No verão, a maioria dos motoristas são turistas.

As luzes ficaram verdes e prosseguimos. David aliviou o pé ao passar pela ponte em forma de arco e, em seguida, pisou no acelerador. Com o vento zumbindo nas minhas orelhas, ele me levou de volta a Elvie.

Mais tarde, mostrei à minha avó minha única aquisição, o suéter azul-marinho que comprara na casa de armas.

— Acho até que você foi muito esperta em ter encontrado alguma coisa em Caple Bridge — ela disse — e parece ser bem quente — acrescentou gentilmente, olhando a roupa de cortes retos. — Com que você pretende usá-lo?

— Com calças... com qualquer coisa. Queria muito uma saia, mas não consegui achar nenhuma que prestasse.

— Que tipo de saia?

— Uma saia quente... mas fica para a próxima vez que você for a Inverness...

— Que tal um saiote escocês? — perguntou minha avó.

Não havia pensado nisso. Parecia uma idéia maravilhosa. Um saiote é a coisa mais confortável do mundo, e as cores são sempre de cair o queixo.

— Onde posso achar um saiote para comprar?

— Oh, querida, você não precisa comprar, há um monte deles aqui em casa. Sinclair usa saiotes desde que aprendeu a andar, e nunca nos desfizemos de nenhum deles.

Havia me esquecido do feliz detalhe de que os saiotes, assim como as bicicletas, eram unissex.

— Mas que idéia maravilhosa! Por que não pensamos nisso antes? Vou procurar agora mesmo. Onde eles estão? No sótão?

— Claro que não. Estão no quarto de Sinclair, em cima do guarda-roupa. Guardei todos eles com naftalina; mas, se você quiser algum, a gente estende lá fora para tirar o cheiro, e aí ele vai ficar como novo.

Sem querer perder sequer um segundo, saí em busca do saiote. O quarto de Sinclair, no momento abandonado, havia sido limpo, varrido e estava imaculadamente arrumado. Lembrei-me de que seu senso inato de organização sempre fora um ponto forte de seu caráter. Quando criança, nunca suportou desordem e nem nunca ninguém precisou dobrar suas roupas ou guardar seus brinquedos.

Apanhei uma cadeira e fui até o guarda-roupa embutido na parede, ao lado da lareira. O espaço acima do móvel era usado como lugar para guardar malas e roupas fora da estação. Subi na cadeira e abri as portas. Vi um monte de livros, algumas revistas especializadas em automóveis, uma raquete de *squash* e um par de pés-de-pato. Senti um cheiro forte de cânfora vindo de uma caixa enorme toda amarrada. Estiquei-me para tirá-la de lá. Era pesada e, sem jeito, enquanto me esforçava para abaixá-la, esbarrei com o cotovelo numa pilha de livros, desalojando-a. Da posição em que eu estava, não houve nada que eu pudesse fazer para impedir que caíssem. Fiquei simplesmente em pé, na cadeira, ouvindo tudo cair fazendo a maior bagunça.

Xinguei, segurando a caixa com mais firmeza. Desci e a coloquei sobre a cama. Em seguida, me abaixei para apanhar os livros. A maior parte era de livros escolares, havendo também um dicionário de sinônimos, uma coleção *Larousse*, uma biografia de Michelângelo e no fundo da caixa...

Era um livro espesso, pesado e com encadernação em couro escarlate. Havia na capa um brasão e o título em letras douradas na lombada do livro: "A História da Terra e da Natureza Animada", Volumes I e II.

Já havia visto o livro antes. Eu tinha seis anos de idade, e meu pai o trouxera a Elvie depois de uma de suas excitantes incursões ao sebo do senhor McFee. O dono da loja já havia falecido muitos anos atrás e no mesmo local agora funcionava uma tabacaria, mas, naquele tempo, meu pai passava muitas horas agradáveis discutindo com o senhor McFee, um homem excêntrico e engraçado que não tinha nenhum tipo de preconceito com relação à sujeira e poeira. Meu pai parecia se divertir vasculhando as incontáveis prateleiras de volumes mofados.

Ele encontrou, por acaso, a *Natureza Animada*, de Goldsmith, e o trouxe para casa sentindo-se vitorioso, porque não apenas se tratava de um volume raro, como também havia sido encapado pelo seu dono anterior, que pertencia a uma família nobre, sendo, por si só, um objeto de arte. Feliz com isso, e querendo compartilhar de sua alegria, a primeira coisa que meu pai fez foi trazer o livro até o quarto onde brincávamos para mostrá-lo a mim e a Sinclair. Minha reação fora, provavelmente, decepcionante para ele. Alisei o couro bonito, olhei uma ou duas gravuras de elefantes asiáticos e, então, voltei ao meu quebra-cabeça.

Com Sinclair foi diferente. Ele adorou cada detalhe do livro; a letra antiga, as páginas espessas, as águas-tintas, os detalhes dos desenhos minúsculos... Ele adorou, também, o cheiro, a guarda marmorizada da obra e até o seu peso.

O fato de acrescentar tamanha preciosidade à sua coleção fez com que meu pai achasse que a ocasião merecesse algum tipo de cerimônia. Então, foi buscar um de seus selos *ex-libris* talhados em madeira com suas iniciais enfeitadas com motivos do reino vegetal. Em seguida, afixou-a solenemente à guarda marmorizada da *Natureza Animada*, de Goldsmith. Sinclair e eu assistimos ao ritual no mais completo silêncio; quando meu pai terminou, soltei um suspiro de satisfação por ele haver terminado com tanto êxito e, também, porque aquilo provava, sem qualquer sombra de dúvida, que o livro agora lhe pertencia.

Meu pai, então, levou sua preciosidade para a parte inferior da casa e o deixou em cima de uma mesa na sala de estar, junto às revistas e aos jornais diários, onde pudesse ser admirado, manuseado e examinado pelas visitas. Não se falou mais do livro novamente até uns dois ou três dias mais tarde, quando meu pai descobriu que ele havia desaparecido.

Ninguém deu muita importância ao fato. *A Natureza Animada*, de Goldsmith, simplesmente fora retirada do lugar. Talvez alguém tivesse pegado emprestado e esquecido de devolver. Mas ninguém o fizera. Meu pai começou a fazer perguntas, mas não obteve respostas. Minha avó o procurou diligentemente, mas o livro não apareceu.

Sinclair e eu fomos então interrogados. Viram o livro? Mas claro que não. Dissemos isso, e nossa inocência nunca foi questionada. Minha mãe começou a dizer algo como: "Talvez um ladrão...", mas minha avó zombou da possibilidade. Que ladrão faria vista grossa à prataria Georgiana e fugiria levando apenas um livro velho? Ela insistiu no fato de que *A Natureza Animada*, de Goldsmith, havia sido esquecida em algum lugar e acabaria aparecendo. Como ocorre com qualquer coisa banal, o mistério acerca do livro acabou tendo uma morte natural; porém, ele nunca mais fora encontrado.

Até agora. No armário de Sinclair, bem guardado com alguns dos seus pertences que não eram usados com freqüência. E o livro estava mais belo do que nunca. O couro macio e vermelho continuava suave ao toque, as letras ainda estavam brilhantes e douradas. Em pé, segurando o volume pesado feito chumbo, eu me lembrei do *ex-libris* do meu pai e abri a capa do livro, mas constatei que a guarda e sua *ex-libris* haviam sido totalmente removidas, de uma forma perfeita e com muita delicadeza, bem rente à lombada. Um serviço provavelmente executado com uma navalha. E, sobre a guarda branca no final do livro, estava escrito em letras escuras, de fôrma, com a caligrafia firme do meu primo Sinclair, então com doze anos de idade:

Sinclair Bailey,
Elvie.
ESTE É O SEU LIVRO

9

O dia continuava lindo. Na segunda-feira, à tarde, minha avó, de posse de uma pá e um par de luvas, saiu para plantar tulipas. Ofereci ajuda, mas ela recusou. Se eu fosse, argumentou, passaríamos todo o tempo conversando e ela acabaria não fazendo nada. Terminaria mais rápido, sozinha. Sendo rejeitada dessa forma, assobiei para os cachorros e fui caminhar. Não gosto muito de jardinagem mesmo.

Caminhei quilômetros, ficando fora por duas horas ou mais. Quando voltei, já estava começando a escurecer e fazia frio. Algumas nuvens, trazidas pelo vento que soprava do norte, surgiam sobre os cumes das montanhas, e sobre o lago pairava uma neblina. Da horta, onde Will alimentava uma fogueira, subia uma nuvem de fumaça azul, enchendo o ar com o cheiro de lixo queimado. Com as mãos enfiadas no bolso, e morta de vontade de tomar um chá perto da lareira, atravessei o caminho que cruzava o alagado e alcancei a alameda das faias douradas. Um dos cachorros começou a latir, e, ao olhar para cima, vi o Lótus Elan amarelo-escuro estacionado em frente à casa.

Sinclair estava de volta. Olhei para o relógio. Cinco horas. Ele havia chegado cedo. Continuei a caminhar, atravessando o gramado, com folhas secas até os tornozelos, e passando pelo caminho de cascalho que levava à casa. Ao passar pelo carro, deixei minha mão escorregar em seu pára-choque bem polido, como se quisesse me certificar de que ele realmente estava lá. Entrei no *hall* aquecido que cheirava à turfa, esperei pelos cachorros e fechei a porta.

Ouvi um murmúrio que vinha da sala de estar. Os cachorros foram beber água e deitaram-se, em seguida, em frente à lareira. Eu me despi da capa de chuva, desatando o cinto, retirei os sapatos sujos de lama e alisei os cabelos com as mãos.

— Olá, Sinclair — eu disse, abrindo a porta.

Estavam sentados em frente à lareira, com uma mesinha entre eles. Sinclair levantou-se e veio me cumprimentar.

— Janey... onde você esteve? — perguntou, beijando-me.

— Fui dar uma caminhada.

— Está quase escurecendo. Pensamos que você tivesse se perdido.

Olhei para ele. Achava que fosse estar visivelmente mudado. Mais quieto; cansado, talvez, de sua longa viagem de carro. Mais pensativo, preocupado com suas novas responsabilidades. Mas era óbvio que eu estava enganada. Ele parecia até mais feliz, mais jovem e animado do que nunca. Havia um brilho nele naquela noite, um brilho de alegria, como uma criança na véspera do Natal.

— Você está fria feito gelo — disse, segurando minhas mãos. — Venha se aquecer perto do fogo. Eu fiz a gentileza de deixar uma torrada para você, mas tenho certeza de que a senhora Lumley fará mais, caso você queira.

— Não, está bem — respondi, colocando um banquinho de madeira entre eles, enquanto minha avó me servia o chá.

— Aonde você foi? — perguntou minha avó. — Os cachorros beberam água? Eles ficaram molhados e sujos de lama? Você os secou?

Respondi, assegurando-lhe de que não havia com que se preocupar: — Não fomos a nenhum lugar com água e eu tirei o mato dos pêlos deles antes de voltarmos para casa.

Ela me passou a xícara, que fiquei apertando entre as mãos frias.

— Como estava Londres? — indaguei, olhando para Sinclair.

— Quente e abafada — ele disse, com os olhos apertados de curiosidade — repleta de executivos com ternos de inverno.

— Você... concluiu o que tinha para fazer lá?

— Falando assim, parece tão sério: "Concluiu". Onde foi que você aprendeu a falar assim?

— Bem, resolveu?

— Claro que sim. Não poderia ser de outra forma.

— Quando, quando foi que você saiu de Londres?

— Hoje cedo... por volta das seis horas... Vó, ainda tem chá no bule?

— Não, não tem mesmo — ela respondeu, erguendo o bule e levantando a tampa para olhar. — Vou fazer mais.

— Peça à Lumley...

— É melhor não, ela está com os pés doendo. Deixe que eu faço. Quero mesmo falar com ela sobre o jantar. Vamos ter que pôr um outro faisão na caçarola.

— Que delícia! Faisão à caçarola — disse Sinclair, depois que ela se foi. Ele segurava o meu pulso, enlaçando-o com os dedos feito um bracelete. O seu toque era fresco e suave.

— Quero falar com você — ele disse.

— Sobre?

— Aqui não, quero você só para mim. Pensei em sairmos de carro depois do chá. Podíamos ir até o topo de Bengairn e ver a lua nascer. O que você me diz?

— Tudo bem — respondi.

Se ele quisesse conversar comigo em particular sobre Tessa, eu supunha que dentro do Lotus Elan fosse um bom lugar.

Passear no Lotus foi para mim uma experiência totalmente nova. Presa ao assento pelo cinto de segurança, eu me senti como se estivesse a caminho da Lua, e a velocidade na qual Sinclair arrancou com o carro não diminuiu em nada a impressão. Subimos a rua, paramos por uns instantes na estrada principal e, então, disparamos como uma flecha. O marcador do velocímetro subia a cem, em questão de segundos. Os campos, cercas e pontos de referência familiares ficavam para trás numa seqüência estonteante.

— Você sempre corre assim?

— Não estou correndo, querida.

Deixei como estava. Em um segundo, chegávamos à ponte em forma de arco. Ele reduziu um pouco e atravessou a ponte num piscar de olhos, deixando meu estômago flutuando a cerca de meio metro acima da minha cabeça, para depois despencar em direção às obras da estrada. As luzes estavam verdes, e Sinclair acelerou, de modo que, antes que as luzes ficassem vermelhas novamente, havíamos passado pela parte da estrada obstruída e já estávamos longe.

Alcançamos Caple Bridge e o limite de quarenta quilômetros por hora. Em respeito à polícia local, e para meu alívio, ele reduziu a velocidade e conduziu o Lotus pela cidade no limite permitido. Uma vez que a última casa do perímetro urbano ficou para trás, disparamos novamente. Agora não havia nenhum tráfego. A estrada, que tinha um aclive suave, curvava-se à nossa frente, e o carro galopava como um cavalo sem rédeas.

Chegamos ao retorno. Uma estradinha lateral, que ia em direção ao sul, subia numa sucessão de curvas escarpadas, levando ao pico de Bengairn e indo além. Campos e fazendas ficavam abaixo de nós; com os pneus cantando, passamos por uma porteira e estávamos agora em campo aberto, com a grama açoitada pelo vento e habitado apenas por rebanhos de ovelhas-de-cara-preta pouco interessadas em nós. O ar frio que entrava pela janela aberta cheirava à turfa, e uma neblina pairava à nossa frente, mas, antes de passarmos por ela, Sinclair parou num canto da estrada e desligou o motor.

A vista à nossa frente se estendia como se não tivesse fim; o vale estava tranqüilo, sob um céu turquesa claro, mais verde do que azul, tingido ao leste pelos tons rosados do pôr-do-sol. Bem abaixo, o Lago Elvie estava plácido e brilhante como uma jóia, e o rio era uma fita prateada sinuosa. Tudo estava muito quieto, havia apenas o ruído do vento no carro e dos maçaricos que voavam próximos.

A meu lado, Sinclair retirou o cinto de segurança e, como eu não segui o seu exemplo, ele se inclinou para retirar o meu também. Voltei-me para olhar para ele e, sem dizer sequer uma palavra, ele segurou o meu rosto com as mãos ainda cobertas pelas luvas e me beijou. Depois de um tempo, eu o afastei devagar.

— Você queria conversar comigo, se lembra? — falei.

— Tenho uma coisa para você... — disse ele, sorrindo, sem demonstrar o menor embaraço. Mexeu-se no banco, tentando alcançar o bolso, de onde retirou uma caixinha que abriu para mim. Parecia que todo o céu estava refletido no brilho de estrela dos diamantes.

Senti-me como se estivesse rolando, virando cambalhotas loucamente pela ribanceira abaixo. Emergi, ainda tonta, vendo o mundo rodar. Quando finalmente consegui falar, a única coisa que saiu foi:

— Mas, Sinclair, isto não é para *mim*.

— Claro que é. Tome...

Retirou o anel da caixinha, atirando-a sobre o painel do carro e, antes que eu pudesse impedi-lo, tomou a minha mão esquerda e colocou o anel no meu dedo. Tentei retirá-lo, mas ele segurou a minha mão e a fechou, apertando-a contra o anel, de modo que os diamantes me machucaram.

— Mas ele *não pode* ser meu.

— São seus, e somente seus.

— Sinclair, precisamos conversar.

— Foi por isso que eu trouxe você aqui.

— Não, não é sobre isso, é sobre Tessa Faraday.

— O que você sabe sobre Tessa Faraday?

Se eu pensava que isso fosse chocá-lo, estava redondamente enganada. Ele não parecia nem um pouco perturbado.

— Eu sei que ela está esperando um bebê, e que é seu filho.

— E como foi que você soube disso?

— Na noite em que ela ligou, eu escutei o telefone tocar e fui atender na extensão do andar de cima. Mas você já havia atendido, e eu a ouvi... contar a você...

— Então foi você? — indagou, parecendo bem mais aliviado, como se outro pequeno dilema tivesse sido resolvido. — Achei ter ouvido a outra linha ser desligada. Como você foi cuidadosa em não ouvir o final da conversa!

— Mas o que você vai fazer a respeito?

— Eu? Não vou fazer nada.

— Mas aquela garota vai ter um filho seu.

— Janey, querida, nós nem sabemos se é mesmo um filho meu.

— Mas *pode* ser seu.

— Ah, sim, pode. Mas isso não significa que seja meu. E não vou assumir responsabilidade nenhuma por causa do descuido de um outro homem.

Pensei na imagem que eu havia feito de Tessa Faraday. A garota alegre e bonita, rindo, enlaçada pelo braço de Sinclair. A esquiadora dedicada e bem-sucedida, com o mundo que escolhera aos seus pés. A mulher jovem, aprovada e admirada, almoçando com a minha avó no Connaught. "Que menina encantadora", minha avó dissera, e ela quase nunca se enganava com as pessoas.

Nada disso se encaixava na imagem dela que Sinclair estava tentando passar para mim.

— Você disse isso a ela?

— Com todas as palavras, sim.

— O que ela disse?

— Bem — respondeu dando de ombros —, ela disse que, já que era isso que eu pensava, iria tomar outras providências.

— E você deixou por isso mesmo?

— Sim, deixei. Não seja tão ingênua, Jane, ela já é vivida e é uma garota sensata.

Durante todo esse tempo, ele não havia afrouxado a pressão de sua mão no meu braço, mas, agora que me soltava, eu conseguia abrir e esticar os meus dedos com cãibras. Ele segurou o anel entre o indicador e o polegar e o girou um pouco, para um lado e para o outro, como se o estivesse aparafusando.

— De qualquer forma — continuou — eu disse a ela que ia me casar com você...

— Você disse a ela *o quê*?

— Ok, querida, ouça. Eu disse a ela que ia me casar com você.

— Mas você não tinha nenhum direito de fazer isso... você nem sequer me perguntou.

— Claro que lhe perguntei. O que acha que estávamos discutindo daquela vez? O que acha que eu estava fazendo?

— Encenando.

— Bem, eu não estava. E, o que é pior, você sabia que eu não estava.

— Você não está apaixonado por mim.

— Mas eu amo você — ele disse, fazendo com que sua declaração parecesse bastante sensata. — E estar com você, ter você de volta a Elvie é a melhor coisa que já me aconteceu. Há tanto frescor em você, Janey. Às vezes você é ingênua como uma criança; outras vezes você é tão surpreendentemente sábia! E você me faz rir; e eu a acho muito atraente. Você me conhece quase tão bem quanto eu me conheço. Isso tudo não é melhor do que simplesmente estar apaixonado?

— Mas quando você se casa com alguém, é para sempre — argumentei.

— E daí?

— Você devia estar apaixonado por Tessa Faraday, mas agora não quer mais saber dela...

— Janey, isso é completamente diferente.

— Diferente como? Não consigo ver como isso pode ser diferente.

— Tessa é atraente, alegre e muito fácil de se lidar, e eu gostava muito de sua companhia... mas para a vida toda... não.

— Ela vai ter aquela criança para o resto da vida.

— Eu já falei que é quase certo que o filho dela não seja meu.

Era óbvio que de seu ponto de vista ele se considerava invulnerável. Tentei uma outra tática.

— Vamos supor, Sinclair, apenas supor, que eu não queira me casar com você. Como eu falava naquele dia, que nós somos primos de primeiro grau...

— Você já me disse isso...

— Nós somos próximos demais... não quero correr o risco.

— Eu amo você — disse Sinclair. Foi a primeira vez que alguém me havia dito aquilo. Sempre imaginei isso acontecendo quando era adolescente e sonhava acordada, mas nada que se comparasse ao que eu ouvia agora.

— Mas... mas eu não amo você...

— Você não me parece muito convicta — retrucou, sorrindo.

— Mas estou. Bastante convicta.

— Você não me ama nem o bastante para... me ajudar?

— Ah, Sinclair, você não precisa de ajuda.

— Mas é nisso que você se engana. Preciso sim. E se você não se casar comigo, a minha vida vai se despedaçar.

Era uma declaração típica de quem estava apaixonado; no entanto, eu não acreditava que estivesse sendo feita com amor.

— Você quer dizer literalmente?

— Ah, Janey, como você é perspicaz. É, literalmente.

— Por quê?

De repente, ele ficou impaciente, soltando a minha mão como se estivesse chateado virando-se para procurar por um cigarro a fim de se distrair. Havia alguns no bolso de seu casaco. Ele apanhou um, acendendo-o no isqueiro do carro.

— Ah, porque — continuou, finalmente.

— Por quê? — insisti.

— Porque — respondeu, respirando fundo — estou até o pescoço de dívidas. Porque a única saída seria se conseguisse dinheiro ou um empréstimo para pagá-las, e não disponho de nenhum dos dois. E se isso vier à tona, o que corre sério risco de acontecer, é quase certo que meu chefe vai me chamar e me informar com profundo pesar que ele não precisa mais dos meus serviços, muito obrigado.

— Você está dizendo que vai perder o emprego?

— Você não só é perspicaz, como é rápida no gatilho.

— Mas... como você contraiu essas dívidas?

— O que você acha? Apostando em cavalos, jogando vinte-e-um...

— Mas quanto? — perguntei. Tudo aquilo parecia tão inofensivo.

Ele me disse. Eu não acreditava nem que alguém pudesse ter aquela quantia toda, quanto menos devê-la.

— Você deve estar louco. Perder tudo isso só no jogo de cartas...

— Ah, pelo amor de Deus, Jane, dá para perder essa quantia em alguns cassinos de Londres apenas numa noite. E eu levei dois anos para perder isso tudo.

Levei algum tempo para aceitar o fato de que um homem pudesse ser tão tolo. Sempre achei meu pai completamente fora da realidade quando o assunto era dinheiro, mas isso...

— A vovó não pode ajudar você? Emprestar o dinheiro?

— Ela já me ajudou antes... é claro, sem muita empolgação, devo acrescentar.

— Quer dizer que não é a primeira vez.

— Não, não é a primeira vez, e pode ir tirando essa expressão de espanto do rosto. Além do mais, nossa avó não dispõe de tanto dinheiro assim. Ela pertence a uma geração que acredita no comprometimento do capital, e o dela está todo investido em custódias e em terras.

— E se ela vendesse alguma propriedade? Tem aquela área de caça, por exemplo.

— Eu já pensei nisso — respondeu, olhando-me de lado e se esforçando para se controlar. — Já reuni até um grupo de americanos que estavam mais do que interessados em comprar as terras, ou, caso isso não fosse possível, estavam até mesmo dispostos a pagar um aluguel anual muito bom por elas. Para ser honesto, Janey, foi por isso que eu tirei essa folga do trabalho, para vir até aqui e dar essa idéia à vovó. Mas, claro, ela não quer nem ouvir falar nisso... embora eu não consiga imaginar que utilidade essas terras têm para ela, do jeito que estão.

— Já está alugada a área...

— Por uma ninharia. O aluguel que aquela associação paga à vovó mal dá para cobrir os gastos com os cartuchos que o Gibson usa na espingarda.

— E o Gibson?

— Ah, ele que vá para o inferno. Ele já é passado, já era hora de se aposentar.

Ficamos em silêncio mais uma vez. Sinclair continuava sentado fumando um cigarro enquanto eu tentava desesperadamente entender as idéias confusas que me passavam pela cabeça. Descobri que o que me assustava não era a sua atitude desalmada — já suspeitava de que ele fosse assim — nem o fato de ele ter se metido em tamanha confusão; mas, simplesmente, o fato de ele ter sido tão franco comigo. Ou ele havia desistido da idéia de se casar comigo, e dessa forma não tinha nada a perder, ou sua auto-estima não tinha limites.

Eu estava começando a ficar com raiva. Quando perco a calma, o que é raro, o processo costuma ser lento, mas, uma vez que isso ocorre, perco completamente a cabeça. Sabendo disso, e com medo de que ocorresse, tentei reunir os meus sentimentos mais nobres e me concentrei em manter a calma e a objetividade.

— Não vejo por que essa decisão deva partir da minha avó e não de você. Afinal de contas, Elvie vai pertencer a você um dia. Se você quiser vender uma boa parte agora, acho que isso deve ser problema seu.

— O que faz você pensar que Elvie vai pertencer a mim?

— Claro que vai. Você é neto. Não há mais ninguém.

— Você fala como se a propriedade fosse parte de um legado inalienável, como se passasse de geração a geração, de pai para filho. Mas não é assim. Não tem sido assim. Elvie pertence à nossa avó; e se ela quiser, pode transformar o lugar em um abrigo para gatos.

— Por que não você?

— Porque, minha querida, eu sou filho do meu pai.

— E o que isso quer dizer?

— Quer dizer que não valho nada, que sou um imprestável, uma ovelha negra. Um verdadeiro Bailey, se você preferir — olhei para ele, sem entender, e, de repente, ele deu uma gargalhada desagradável. — Nunca ninguém lhe contou, pequena e inocente Jane, sobre o seu tio Aylwyn? Seu pai nunca lhe disse nada?

Sacudi a cabeça, negando.

— Contaram-me quando fiz dezoito anos... foi uma espécie de presente de aniversário indesejável. Sabe, Aylwyn Bailey não era apenas desonesto, mas incompetente também. Cinco anos do tempo que ele viveu no Canadá, ele passou na prisão. Por fraude, estelionato e sabe Deus o que mais. Você nunca percebeu que aquele esquema todo era meio estranho? Nunca recebia visitas. Quase nunca escrevia. E nunca nos mandou uma única foto da casa onde morava.

Tudo de repente se tornou tão óbvio, que me perguntei por que nunca havia desconfiado de nada. Lembrei-me da conversa que havia tido com a minha avó, dias atrás, e dos relatos vagos que ela se permitira fazer acerca do próprio filho. *Ele resolveu morar no Canadá e morrer lá. Elvie nunca significou muito para Aylwyn... Ele se parecia com Sinclair. Ele era muito envolvente.*

— Mas por que ele nunca voltou? — perguntei, demonstrando pouca perspicácia.

— Acho que porque ele era emigrante e recebia uma pensão do governo... provavelmente nossa avó imaginava que eu viveria melhor sem sofrer influências dele — respondeu, apertando o botão que abaixava o vidro da janela e atirando para fora o cigarro fumado pela metade. — Mas, do modo como as coisas ficaram, não acho que isso tenha feito alguma diferença. De uma forma ou de outra, acabei herdando a doença da família — continuou, sorrindo para mim —, e aquilo que não tem cura se atura.

— Quer dizer que todas as outras pessoas têm de aturar você?

— Ah, que é isso? Não é fácil para mim também. Sabe, Janey, é estranho você ter mencionado que Elvie um dia viria a ser minha, porque outro dia, quando eu e a vovó estávamos aventando a possibilidade de vendermos os campos de caça e discutindo o futuro do Gibson, esse era exatamente o ás que eu trazia escondido na manga. Eu disse a ela: "Elvie vai pertencer a mim um dia. Mais cedo ou mais tarde, vai ser minha. Então, por que não posso decidir, agora, o que deve ser feito?" — E voltando-se para mim e sorrindo de forma encantadora e desconcertante concluiu: — Sabe o que a sua avó disse?

— Não.

— Ela disse: "Mas, Sinclair, é aí que você se engana. Elvie não significa nada para você, a não ser uma fonte de renda. Você já fez a sua vida em Londres e nunca iria querer morar aqui. Elvie vai ficar com a Jane".

E foi assim que eu descobri. Essa era a peça final do quebra-cabeça, e agora o quadro estava completo.

— Então é por isso que você quer se casar comigo. Para pôr as mãos em Elvie.

— Soa um pouco descarado posto dessa forma...

— *Descarado!*

— ... mas acho que poderíamos dizer que essa é a idéia geral. Há todas as outras razões que eu já lhe dei, que são inteiramente sinceras e verdadeiras.

Foi o uso que ele fez daquelas palavras que acabou me tirando do sério, como uma rocha rolando morro abaixo.

— Sinceras e verdadeiras. Sinclair, você nem sequer sabe o significado dessas palavras, e como é que você consegue pronunciá-las, da mesma forma... que me conta isso tudo...

— Sobre o meu pai, você quer dizer?

— Não, não me refiro ao seu pai. Não dou a mínima para o seu pai e nem você deveria. E também não dou a mínima para Elvie. Tampouco quero ficar com Elvie, e se minha avó deixá-la para mim eu recuso, queimo tudo, dou para alguém... enfim, tudo, menos deixar que você ponha suas mãos gananciosas nela.

— Você não está sendo muito caridosa.

— E nem pretendo ser. Você não merece caridade. Você tem obsessão por posses, sempre foi assim. Quando era criança, você sempre *tinha* que possuir tudo... e quando não tinha alguma coisa simplesmente a tomava. Trenzinhos a pilha, barcos, bastões de críquete, espingardas e tudo mais. E agora carros caros, apartamentos em Londres e dinheiro, dinheiro e dinheiro. Você nunca se satisfaz. Mesmo se eu fizesse tudo o que você quer, me casasse com você e lhe desse Elvie e tudo o que está incluído nela, isso não lhe bastaria...

— Você não está sendo realista.

— Realista não é a palavra. Não é isso. É simplesmente uma questão de saber quais são as prioridades e ter a consciência de que pessoas são mais importantes do que objetos.

— Pessoas?

— Sim, pessoas. Sabe, seres humanos, com sentimentos e emoções e todas as coisas de que você parece ter se esquecido, se é que você um dia soube que existissem. Pessoas como a sua avó, Gibson e aquela menina, Tessa, que vai ter um filho seu... e não comece com essa história de que o filho não é seu, porque eu sei e, o que é pior, você bem sabe que é. Eles serviram ao seu propósito e são dispensáveis, então você simplesmente se livra deles.

— Você, não — disse Sinclair. — Eu não vou me livrar de você. Eu vou levá-la comigo.

— Ah, não vai não. — O anel estava apertado demais. Eu o tirei, machucando o meu dedo e mal me contendo para não atirá-lo em seu rosto. Apanhei a caixinha revestida de veludo, pus ali o anel, fechei-a e a coloquei de volta sobre o painel. — Você estava certo quando disse que nós nos amávamos. Nós nos amamos um dia, e eu sempre achei que você fosse a pessoa mais maravilhosa do mundo. Mas você revelou ser, não apenas desprezível, mas burro também. Você deve estar maluco em achar que vou simplesmente ficar ao seu lado como se nada tivesse acontecido. Você deve me achar a pessoa mais imbecil do planeta.

Apavorada, ouvi minha própria voz começar a estremecer. Desvencilhei-me dele e fiquei sentada, tremendo, desejando estar em um local aberto, ou em algum quarto enorme onde pudesse gritar, atirar as coisas contra a parede e me permitir ter um ataque histérico. Mas eu não estava num quarto. Estava presa no espaço minúsculo do carro do Sinclair, e mal havia espaço o bastante para nossas emoções agitadas, muito menos para os nossos corpos.

— Quem poderia imaginar — ele disse, suspirando ao meu lado — que você voltaria da América com esses princípios tão elevados?

— Isso não tem nada a ver com a América. Eu sou assim e sempre vou ser — respondi, sentindo minha boca curvar-se e os meus olhos se encherem de lágrimas, — E agora eu quero ir para casa.

Não adiantou. Apesar dos meus esforços, comecei a chorar para valer. Procurei um lenço, mas claro que não achei, e acabei tendo que aceitar o de Sinclair que, em silêncio, foi passado para mim.

Enxuguei as lágrimas e assoei o nariz, e, por alguma razão ridícula, esse ato corriqueiro quebrou a tensão entre nós. Ele retirou dois cigarros do bolso, acendeu-os e me deu um. A vida continuava. Percebi que, enquanto conversávamos, a noite havia ficado mais escura. A lua, que já não era mais nova, mas ainda mantinha seu formato em arco, se erguia a leste, e sua claridade estava bloqueada pela neblina que havia descido do topo da montanha e que agora nos encobria.

— O que vou fazer? — perguntei, assoando o nariz novamente.

— Só Deus sabe.

— Talvez se falássemos com David Stewart.

— Não.

— Ou meu pai. Ele pode não ter muito senso prático, mas é uma pessoa muito sensata. Podíamos ligar para ele...

— Não.

— Mas, Sinclair...

— Você está certa. Está na hora de irmos para casa — disse, ligando o carro. O motor ganhou vida, rosnando e abafando todos os outros sons. — Mas no caminho vamos parar em Caple Bridge para tomarmos um drinque. Acho que ambos precisamos — eu, com certeza, preciso, e isso também vai lhe dar tempo para melhorar esse rosto antes de vovó ver você.

— O que há de errado com o meu rosto?

— Está inchado e manchado. Está como da vez em que você pegou sarampo. Desse jeito você fica parecendo uma menininha de novo.

10

Na Escócia, beber é coisa séria e, assim como ir a funerais, uma prerrogativa exclusivamente do sexo masculino. As mulheres de qualquer tipo não são bem-vindas aos bares, e se algum homem cometer o erro de levar sua esposa ou namorada a um bar, espera-se que ele fique com ela em algum outro espaço do estabelecimento, longe das vistas e dos ouvidos dos seus iguais.

O bar Crimond Arms, em Caple Bridge, não era nenhuma exceção à regra. Naquela noite, indicaram-nos um salão frio e desconfortável, com papéis de parede amarelos, cadeiras e mesa de vime, e decorado com patos feitos de gesso e o tradicional vaso de flores de plástico empoeiradas. Havia uma lareira a gás apagada, alguns cinzeiros enormes e um piano que, numa inspeção mais acurada, revelou-se estar bem trancado. Era impossível se divertir ali.

Deprimida e sentindo calafrios por causa do salão mal-aquecido e dos incontáveis receios que eu tinha acerca de Sinclair, e por tudo mais que havia acontecido, sentei-me sozinha e fiquei esperando por ele, que finalmente veio, trazendo um xerez para mim e um uísque duplo para si.

— Por que você não acendeu a lareira? — perguntou logo que chegou.

— Pensei que não fosse permitido — respondi, lembrando do piano trancado e da atmosfera inóspita do lugar.

— Não seja ridícula — retrucou, pegando um fósforo e se abaixando para acender a lareira a gás. Ouvi um pequeno estouro, senti um cheiro forte e vi surgir o clarão de pequenas chamas. Em seguida, senti uma onda de calor em uma área minúscula na altura dos joelhos.

— Está melhor?

Não estava, porque o calafrio que sentia vinha do âmago do meu ser e não passaria, mas respondi que sim. Satisfeito, sentou-se numa cadeirinha de vime que estava sobre um tapete enfeitado demais, pegou um cigarro e o acendeu.

— Um brinde — falou, erguendo o copo em minha direção.

Depois disso, ele não disse mais nada. Terminei meu xerez, pus de volta o copo vazio sobre a mesa e, vendo que ele ainda estava na metade do seu drinque, eu disse que iria ao banheiro, pois pretendia conferir a minha aparência antes de encarar a minha avó. Sinclair disse que esperaria por mim; então, desci, com dificuldade, um corredor e subi um lance de escadas onde encontrei um banheiro feminino. Não era nem um pouco mais acolhedor ou confortável do que o salão deprimente que ocupávamos na parte de cima. Olhei-me no espelho e me deparei com o reflexo do meu rosto arrasado e inchado e do meu rímel borrado. Lavei as mãos e o rosto na água fria, retirei um pente do bolso e penteei um pouco os cabelos. Durante todo o tempo, senti-me como se estivesse vestindo um cadáver, exatamente como nas histórias macabras de papa-defuntos americanos.

Tudo isso levou um certo tempo; quando voltei, encontrei o salão vazio, mas ouvia, do outro lado da porta que levava ao bar propriamente dito, a voz de Sinclair conversando com o *barman*. Constatei que ele havia aproveitado a chance de apanhar uma outra dose e tomá-la na companhia de alguém mais agradável.

Sem querer me demorar no local, fui esperar por ele no carro. Havia começado a chover, e a praça do mercado estava molhada e negra como um lago escuro, refletindo a luz alaranjada dos postes de iluminação. Sentindo frio, sentei-me encolhida no carro, sem ter sequer ânimo bastante para acender um cigarro. Vi a porta do Crimond Arms se abrir e sair de lá a silhueta de Sinclair, que me pareceu, por uns segundos, negra. Então, a porta se fechou e ele cruzou a praça molhada em minha direção.

Trazia um jornal.

Entrou no Lotus, sentou-se ao volante, bateu a porta e ficou parado com a respiração forte. Cheirava a uísque, e me perguntei quantas doses ele havia tido tempo de beber enquanto eu estava lavando o rosto.

— Algum problema? — perguntei, depois de um tempo, já que ele ainda não havia esboçado nenhuma intenção de ligar o motor do carro.

Ele não respondeu. Ficou apenas sentado, olhando para baixo com o rosto pálido e os cílios negros tocando a face.

— Sinclair — falei, já ficando preocupada.

Ele me passou o jornal. Era a edição de última hora do jornal local que ele provavelmente havia pego no bar.

Com a ajuda das luzes da rua, li as manchetes que falavam de um acidente de ônibus; havia também uma foto de um político recém-eleito e uma coluna sobre alguma garota moradora de Thrumbo que havia se destacado na Nova Zelândia...

Então vi, em letras garrafais, no canto inferior:

> MORTE DE ESQUIADORA FAMOSA:
> O corpo de Tessa Faraday foi encontrado ontem pela manhã em sua residência em Crawley Court, em Londres. Tessa, que tinha 22 anos, foi a vencedora na modalidade feminina do torneio de esqui realizado no último inverno...

As letras dançaram, misturaram-se e sumiram. Fechei os olhos, numa tentativa de apagar todo aquele fato horroroso, mas a escuridão só fez com que tudo piorasse, e vi que não havia como fugir dos meus próprios pensamentos. "Ela disse que tomaria outras providências", "Ela é uma menina sensata", fora o que Sinclair havia dito.

— Mas ela se matou... — falei sem pensar.

Abri os olhos. Ele não havia sequer se mexido. Ouvi minha própria voz dizer:

— Você sabia quais eram as outras providências que ela tomaria?

— Pensei que ela estivesse se referindo ao bebê — respondeu, sem demonstrar qualquer emoção.

— Ela não tinha medo de ter o bebê — argumentei, surpreendendo a mim mesma com a minha perspicácia.

— Ela não era esse tipo de mulher. Ela se matou porque sabia que você não a amava mais. Você ia se casar com outra pessoa.

— Cale a boca — gritou, num acesso de fúria —, e pare de falar nela, ouviu? Não fale dela, não converse sobre ela, não diga uma única palavra. Você não sabe nada dela, então não tenha a pretensão. Você não entende e nunca esperei que entendesse.

Ao dizer isso, ligou o motor, soltou o freio de mão e, com os pneus molhados patinando nos paralelepípedos, girou o Lotus, atravessou a praça e seguiu em direção à rua que levava à zona rural e a Elvie.

Ele estava bêbado, assustado, magoado ou chocado, ou talvez todas as coisas ao mesmo tempo. Agora, já não pensava nas regras do trânsito, nem tinha o menor cuidado. Sinclair estava fugindo, perseguido sem trégua por milhares de demônios, e a velocidade era a sua única defesa. Passamos pelas ruas estreitas da cidadezinha e partimos, em alta velocidade, em direção ao interior. A realidade se resumia à estrada à nossa frente. Em seu centro, os olhos-de-gato e as linhas divisórias vinham ao nosso encontro como se fossem uma coisa só. Eu nunca antes havia sentido um medo realmente físico, mas, agora, trincava os dentes com tanta força, que doíam, e esticava o pé pisando tão forte num freio imaginário, que corria um sério risco de deslocar uma vértebra da coluna. Dobramos na última curva e tínhamos à frente o caminho livre até o trecho da estrada que estava em obras. O sinal estava verde, e a fim de atravessá-lo antes que mudasse de cor, ele pisou mais no acelerador, impulsionando-nos ainda mais rápido. Comecei a rezar: "Fique vermelho agora, por favor, fique vermelho".

E, então, há apenas quarenta e cinco metros, aproximadamente, o milagre aconteceu e o sinal ficou vermelho. Sinclair começou a frear e, naquele momento, eu sabia o que fazer. Com os pneus cantando no asfalto, o Lotus finalmente parou e, tremendo dos pés à cabeça, abri a porta do carona e saltei.

— O que você está fazendo? — perguntou.

Fiquei em pé na chuva e na escuridão, como uma mariposa sob a luz dos faróis que se aproximavam vagarosamente, à medida que o tráfego do sentido oposto vinha em nossa direção.

— Estou com medo — falei.

— Entre de volta. Você vai se molhar — argumentou, mais calmo.

— Vou a pé.

— Mas são seis quilômetros até lá...

— Eu gosto de andar.

— Janey... — disse, debruçando-se sobre a janela como se quisesse me puxar de volta para dentro do carro, mas dei um passo atrás e fiquei fora de seu alcance.

— Por quê? — insistiu.

— Já disse, estou com medo. E o sinal ficou verde de novo... é melhor você ir, senão vai bloquear a passagem dos outros carros.

Para tornar minhas palavras mais convincentes, uma pequena van que vinha logo atrás do carro de Sinclair buzinou. Era um som grosseiro e impertinente, o tipo de ruído que em outras ocasiões e lugares nos teria feito dar boas risadas.

— Tudo bem — concordou finalmente, segurando a maçaneta da porta e puxando-a para fechá-la.

— Janey — continuou, hesitando um pouco —, você estava certa numa coisa.

— No quê?

— O bebê que a Tessa estava esperando. *Era* meu.

Comecei a chorar. As lágrimas se misturaram à chuva no meu rosto, e eu não podia fazer nada para evitá-las, não conseguia pensar em nada para falar, nem em nenhuma forma de ajudá-lo. Então, a porta bateu, fechando-se entre nós e, no instante seguinte, ele já havia partido. Seu carro se afastava de mim, passando através das obstruções e dos sinais luminosos, cada vez mais rápido, em direção à ponte.

Como num pesadelo, e sem nenhum motivo, senti minha cabeça repleta de música, retinindo como um órgão, e era a música de Sinclair. Mas, agora que era tarde demais, desejava ter ido com ele.

Alegremente vamos passear,
Pé com pé, calcanhar com calcanhar
De braços dados, lado a lado...

Ele havia alcançado a ponte, e o Lotus saltou nela feito um cavalo numa prova de obstáculos. A lanterna do carro desapareceu e, no momento seguinte, o silêncio da noite foi cortado pelo grito de pneus freando e derrapando na pista molhada. E, então, ouvi o barulho de metal sendo amassado e de vidros se quebrando. Comecei a correr, sem poder fazer nada, como num sonho ruim, tropeçando nas poças d'água, cercada pelos faróis e pelos olhos-de-gato que diziam: PERIGO. Mas, antes de chegar a noventa metros da ponte, ouvi o som de uma explosão e, diante dos meus olhos, a noite ali foi tomada por uma chama rósea.

Foi só depois do funeral de Sinclair que tive a chance de conversar com a minha avó. Antes disso, qualquer tipo de diálogo seria impossível. Ficamos ambas chocadas e evitamos instintivamente mencionar seu nome, como se falar nele fosse abrir os portões da represa de nosso sofrimento controlado. Somando-se a isso, tínhamos que estar com tantas pessoas e havia muito a ser feito. Principalmente visitas para receber. Velhos amigos, como os Gibsons, o jardineiro Will, o pastor, e Jamie Drysdale, o marceneiro, transformado, graças às roupas sóbrias e a um semblante de desalento e respeito, em um agente funerário. Houve conversas com a polícia e ligações de repórteres. Recebemos flores, cartas... dúzias de cartas. Começamos a respondê-las, mas acabamos desistindo, deixando uma pilha delas crescer sobre a bandeja de bronze no *hall*.

Minha avó, que pertence a uma geração que não teme a idéia da morte, e que não se deixa perturbar pelos seus caprichos, insistiu em que fizéssemos um enterro tradicional, e enfrentou a situação, sem demonstrar abalo, nem mesmo quando Hamish Gibson, de licença do serviço militar, tocou "Flores da Floresta" na sua gaita de foles. Ela cantou os hinos na igreja, ficou em pé, por meia hora ou mais, cumprimentando as pessoas; lembrou-se de agradecer até mesmo àqueles que haviam desempenhado as funções mais simples.

Mas, agora, ela estava cansada. A senhora Lumley, exaurida pela emoção e por ter ficado tanto tempo em pé, voltou para o seu quarto para colocar os pés para cima. Assim, após acender a lareira da sala de visitas, acomodei minha avó ao lado do fogo e fui à cozinha preparar-lhe uma xícara de chá.

Em pé, próximo ao calor do fogão, esperando a chaleira ferver, me distraí, contemplando através da janela o mundo cinzento lá fora. Era outubro, a tarde estava fria e tranqüila. Nem uma réstia de vento mexia as poucas folhas que restavam das árvores. O lago, que refletia o céu cinza, estava calmo como um lençol prateado. Os montes adiante estavam roxos como ameixas. Amanhã, talvez, ou um dia depois, eles estariam cobertos pela primeira neve — estava frio o bastante para isso — e entraríamos no inverno.

A chaleira ferveu, preparei o chá e o levei até a sala de visitas. O tilintar das colheres e o espocar do fogo eram reconfortantes, como as pequenas coisas costumam ser diante de uma tragédia.

Minha avó estava tricotando um chapeuzinho de criança feito de lã vermelha e branca, que eu sabia que seria doado para o bazar da Paróquia. Ao presumir que ela gostaria de ficar em silêncio, larguei a minha xícara de chá vazia, acendi um cigarro e comecei a ler o jornal, já meio absorta numa resenha crítica de uma peça de teatro, quando, de repente, ela disse:

— Tenho me sentido muito culpada, Jane. Deveria ter-lhe contado sobre Aylwyn naquele dia em que estávamos sentadas no jardim e você começou a me fazer perguntas sobre ele. Estava a ponto de lhe contar, mas alguma coisa me fez mudar de idéia. Foi uma tolice muito grande da minha parte.

Abaixei o jornal e o dobrei. Suas agulhas continuavam a se movimentar. Ela não havia erguido os olhos do seu trabalho.

— Sinclair me contou... — falei.

— Contou? Achei que fosse. Isso importava muito para Sinclair. Seria importante para ele que você soubesse. Você ficou chocada com o que ele disse?

— Por que ficaria?

— Por uma série de razões. Por Alylwyn ter sido um homem desonesto. Por ele ter sido preso. Por ele ter tentado esconder isso de todos vocês.

— Foi melhor assim. Não nos teria feito bem algum saber. Nem para ele.

— Sempre achei que seu pai lhe havia contado.

— Não.

— Foi bom ele não ter contado... ele sabia o quanto você gostava de Sinclair.

Larguei o jornal e me sentei sobre o tapete em frente à lareira, um bom lugar para confidências.

— Mas por que o Aylwyn era assim? Por que ele não era como você?

— Ele era um Bailey — respondeu minha avó, de maneira simples. — Eles sempre foram um bando de irresponsáveis, mas com todo o charme do mundo. Sem um tostão sequer no bolso e sem a menor noção de como ganhar dinheiro e mantê-lo.

— Seu marido era assim?

— Ah, era — disse, sorrindo consigo mesma, como se lembrasse de algo engraçado ocorrido muito tempo atrás. — Você sabe qual foi a primeira coisa que aconteceu depois que nos casamos? Meu pai pagou todas as dívidas dele. Mas ele não levou muito tempo para contrair outras.

— Você o amava?

— Loucamente. Mas logo vi que havia me casado com um moço sem juízo e que não tinha a menor intenção de se corrigir.

— Mas vocês eram felizes.

— Ele morreu logo depois que nos casamos. Não tivemos tempo de passar para a fase seguinte. Mas, então, percebi que estava sozinha, e decidi que seria melhor para os meus filhos se eu começasse tudo de novo, de uma forma completamente diferente, longe dos Bailey. Então, comprei Elvie e trouxe meus filhos para cá. Pensei que tudo seria diferente. Mas, sabe, o meio não anula completamente os fatores hereditários, independente do que os psicólogos infantis digam. Eu lhe contei sobre o Aylwyn. Eu o vi crescer e se transformar no pai novamente, e não havia nada que eu pudesse fazer para impedir. Ele cresceu, foi a Londres, arranjou um emprego, mas logo ficou com problemas financeiros. Eu o ajudei, claro, incontáveis vezes, mas, inevitavelmente, chegou o dia em que não pude ajudá-lo. Ele havia manipulado a cotação de algumas ações, ou agido de alguma forma fraudulenta, e o diretor de sua firma disse, com toda razão, que aquilo era caso de polícia. Mas, no fim, consegui dissuadi-lo da idéia, e ele acabou concordando em não dizer nada, desde que Aylwyn desse sua palavra de que nunca mais atuaria em Londres novamente. Então foi assim que ele foi para o Canadá. Mas, claro, a coisa toda se repetiu, e dessa vez o pobre do Aylwyn não teve tanta sorte. Teria sido diferente, sabe, Jane, se ele tivesse se casado com um garota sensata, que tivesse os pés no chão, e a força de caráter que mantivesse os pés do Aylwyn lá, também. Mas Silvia era tão cabeça-de-vento quanto ele; eram duas crianças. Só Deus sabe por que ela quis se casar com ele. Talvez ela achasse que ele tivesse dinheiro; não dava para acreditar que estivesse apaixonada, abandonando Aylwyn e a criança, daquela forma.

— Por que o Aylwyn nunca voltou do Canadá?

— Por causa de Sinclair. Às vezes a imagem de um pai é melhor do que... o próprio pai. Sinclair é... era — disse, se corrigindo, quase sem demonstrar abalo no tom de voz — um outro Bailey. É surpreendente como um único traço ruim pode passar de geração a geração de uma mesma família.

— Você se refere à jogatina e tudo mais.

— Sinclair lhe contou, não contou?

— Um pouco.

— Ele não precisava daquilo, você sabe. Ele tinha um bom emprego e um bom salário, mas não conseguia resistir à emoção do jogo. E o fato de não entendermos o porquê não deve nunca nos tornar incompreensíveis, embora, às vezes, eu ache que aquilo era a razão da vida de Sinclair.

— Mas ele adorava vir a Elvie.

— Só de vez em quando. Ele não tinha o mesmo sentimento que sua mãe... ou você tem por Elvie. Na verdade — ela girou suas agulhas e começou a fazer uma outra carreira — já faz algum tempo que decidi que seria uma boa idéia se Elvie pertencesse a você um dia. Você aceitaria?

— Eu... Eu não sei...

— Esse foi o verdadeiro motivo pelo qual fiquei tão ansiosa, esperando que seu pai deixasse você voltar a Elvie, e foi por isso que lhe escrevi tantas cartas, que o danado se recusava a responder. Eu queria conversar com você sobre Elvie.

— É maravilhoso — respondi. — Mas a idéia de ser dona de alguma coisa me assusta... Acho que não gostaria de ficar presa a todas as responsabilidades de um lugar como Elvie. E não me sentiria livre para sair por aí do jeito que gosto.

— Você está me saindo uma medrosa, e também está falando como seu pai. Se ele tivesse sido mais realista no que diz respeito a posses, já teria se estabelecido e construído alguma coisa boa também. Você não quer fixar raízes, Jane? Não quer se casar e ter uma família?

Olhei para o fogo e refleti sobre muitas coisas. Sobre Sinclair e meu pai... e sobre David. E pensei em todos os lugares que já havia visitado e nos muitos outros que esperava conhecer um dia. E imaginei crianças vivendo em Elvie, meus filhos, crescendo nesse lugar perfeito, e fazendo todas as coisas que eu e Sinclair fazíamos...

— Eu não sei o que quero — respondi finalmente — Essa é a mais pura verdade.

— Nem eu esperava que você soubesse. E, além do mais, hoje nenhuma de nós está com cabeça para isso, e nem esse é o melhor momento para discutirmos tal assunto. Mas você deve refletir sobre isso, Jane. Pese os prós e os contras. Temos todo o tempo do mundo para discutirmos isso juntas.

Um pedaço de lenha se partiu e caiu sobre as brasas, já sem chamas, da lareira. Levantei-me para pôr mais lenha e me abaixei para apanhar a bandeja de chá e levá-la até a cozinha, mas quando alcancei a porta, fazendo um certo malabarismo equilibrando a bandeja com a mão na maçaneta, minha avó falou novamente:

— Jane.

— O quê?

Ainda segurando a bandeja, voltei-me e olhei para ela. Havia parado de tricotar e retirado os óculos. Pude ver todo o azul dos seus olhos profundos contrastando com a palidez do seu rosto. Nunca a havia visto tão pálida. Nunca a havia visto tão velha.

— Jane... você se lembra de que falávamos outro dia de uma amiga de Sinclair, Tessa Faraday?

Segurei nas alças da bandeja, com força, e as falanges dos meus dedos ficaram brancas. Sabia o que estava por vir e rezei para evitá-lo.

— Lembro.

— Eu li no jornal que ela morreu. Parece que foi por overdose de barbitúricos. Você viu a reportagem?

— Sim, vi.

— Você nunca comentou nada.

— Pois é.

— Isso... isso teve alguma coisa a ver com Sinclair?

Nossos olhares se encontraram e ficaram grudados um no outro. Teria dado a minha alma naquele momento para poder mentir de forma convincente. Mas eu era uma incompetente nesse assunto, e minha avó me conhecia muito bem. Não tinha qualquer chance de me sair bem daquela situação.

— Sim, teve — respondi, e acrescentei: — Ela estava esperando um filho dele.

Os olhos de minha avó se encheram de lágrimas, e foi a única vez que eu a vi chorar.

11

David chegou na tarde seguinte. Minha avó estava escrevendo umas cartas e eu me encontrava no jardim varrendo as folhas. Um dia me disseram que o esforço físico era a melhor forma de terapia para os estados de angústia. Havia juntado as folhas num montinho e estava prestes a transferi-las para um carrinho de mão, quando as portas de vidro se abriram e David veio ao meu encontro. Levantei-me e fiquei observando-o atravessar o gramado, alto, esbelto e com os cabelos despenteados pelo vento, e me perguntei, naquele instante, como teríamos passado os últimos dias sem ele. Ele havia providenciado tudo, arranjado tudo, até mesmo arrumado tempo para fazer uma ligação telefônica para o meu pai a fim de lhe comunicar, pessoalmente, a morte de Sinclair. Eu sabia que, seja lá o que acontecesse entre nós dois, nunca deixaria de lhe ser grata.

— Jane — perguntou, já a meu lado —, o que você vai fazer com esse montinho de folhas?

— Colocá-lo no carrinho de mão — respondi.

Ao me abaixar para recolher as folhas, a maior parte foi levada pelo vento.

— Se você apanhar uns gravetos, vai terminar mais rápido. Eu lhe trouxe uma carta... — ele disse, retirando um envelope de seu bolso enorme. Vi que era do meu pai.

— Onde você encontrou isso?

— Veio anexada a uma carta que ele escreveu para mim. Ele me pediu que lhe entregasse.

Deixamos o carrinho de mão e a vassoura de lado, descemos o jardim, pulamos a valinha que o separava do campo, e fomos até o velho píer, onde nos sentamos lado a lado sobre as tábuas apodrecidas, correndo um certo risco. Abri a carta e a li em voz alta para David:

"Querida Jane,

Fiquei muito triste ao saber do que aconteceu com Sinclair e de seu envolvimento na morte dele, mas fiquei contente por você poder estar com a sua avó, sem dúvida, confortando-a da melhor forma possível.

Tenho me sentido culpado desde que você foi embora — por eu ter deixado que voltasse a Elvie sem lhe ter contado tudo acerca do seu tio Aylwyn. Mas, por alguma razão, talvez também pelo modo como você partiu, nunca surgiu a oportunidade para lhe contar. No entanto, mencionei o fato a David Stewart, e ele me prometeu cuidar de você e de todo o resto..."

— Mas você nunca me contou — protestei.

— Não era assunto meu.

— Mas você sabia.

— Claro que sabia.

— E sabia sobre Sinclair também?

— Sabia que ele estava acabando com boa parte do dinheiro de sua avó.

— Ainda há coisas piores, David.

— O que você quer dizer?

— Sinclair morreu devendo uma quantia enorme.

— Eu tinha receios de que isso fosse acontecer. Como você ficou sabendo disso?

— Ele me contou. Disse um monte de coisas — respondi, voltando à carta:

> "O motivo pelo qual nunca quis muito que você voltasse a Elvie não era tanto pelo que seu tio havia sido, mas pelo que seu primo havia se tornado. Após a morte de sua mãe, sua avó sugeriu que eu deixasse você ficar com ela e, na verdade, essa teria sido uma solução óbvia. Mas havia o problema de Sinclair. Eu sabia do quanto você gostava dele e do quanto ele significava para você, e tinha certeza de que, se você continuasse a vê-lo, um de vocês acabaria sendo magoado ou desiludido. De qualquer forma, seria um processo doloroso, se não trágico; então preferi que você ficasse comigo, por isso eu trouxe você para a América."

— Só me pergunto o que fez com que ele tivesse tanta certeza acerca do caráter de Sinclair — disse David, interrompendo-me.

Lembrei-me do livro, *Natureza Animada*, de Goldsmith, e, por uns instantes, pensei em contar a David a história toda. Mas acabei desistindo. O livro já nem existia mais. Um dia após a morte do meu primo, retirei o livro do seu armário, levei-o para baixo e o enfiei no aquecedor, onde fiquei observando-o queimar. Agora, não havia mais nenhuma pista dele. Com relação a Sinclair, era melhor que fosse esquecido.

— Não sei... instinto, acho. Ele sempre foi um homem muito perspicaz e impossível de se enganar.

Continuei a ler:

"Foi esse também o motivo por eu ter demorado tanto em responder aos pedidos de sua avó de que você deveria voltar a Elvie. Teria sido diferente se Sinclair estivesse casado, mas eu sabia que ele estava solteiro e cheio de preocupações.

Suponho que você queira ficar em Elvie por mais tempo, mas os negócios aqui vão bem. Sam Carter tem conseguido coisas ótimas para mim, e estou cheio da grana, como costumam dizer, e poderia até lhe comprar uma passagem de volta para a ensolarada Califórnia, é só você pedir. Estou com muita saudade de você, e o Rusty também. Mitzi, a cadelinha *poodle*, não é um consolo muito grande pela sua ausência, embora Linda esteja certa de que quando chegar a hora e a lua estiver na casa certa, Mitzi e Rusty vão se apaixonar perdidamente um pelo outro e nos presentear com uma família, mas, na minha opinião, é difícil até de pensar em tal união.

Linda está bem, adorando Reef Point e aquilo que ela chama de vida simples; surpreendentemente, ela começou a pintar. Não sei se minha intuição está certa, mas acho que ela poderá vir a ser uma boa revelação. Quem sabe, um dia ela possa me sustentar para que eu tenha o estilo de vida que pedi a Deus, que é mais do que já tive a coragem de dizer para você.

Minha adorável e querida filha,

Seu pai."

Dobrei a carta, em silêncio, e a coloquei de volta no envelope e depois no bolso do casaco.

— Parece — disse vagarosamente, depois de um tempo — que ele está tentando convencê-la a se casar com ele. Ou, talvez, seja ela que esteja tentando convencê-lo a se casar com ela. Não sei ao certo qual dos dois.

— Talvez um esteja tentando convencer o outro. Você gostaria que isso acontecesse?

— Gostaria, acho que sim. Dessa forma não me sentiria mais responsável por ele. Ficaria livre.

A palavra soou vazia e desapontadora. Estava fazendo muito frio no píer e, de repente, comecei a tremer. David me abraçou e me puxou para perto dele, de modo que fui aquecida pelo seu calor, com a cabeça apoiada no seu ombro firme coberto pelo *tweed*.

— Nesse caso — falou —, talvez essa seja uma boa hora para convencer você a se casar com um advogado míope, de uma cidadezinha do interior, que adorou você desde o primeiro momento em que a viu.

— Você não teria que se esforçar muito — respondi.

Seu braço me apertou e senti os seus lábios roçarem o alto de minha cabeça.

— Você não se incomodaria de morar na Escócia?

— Não. Desde que você consiga muitos clientes em Nova Iorque, Califórnia, e talvez até mais longe, e prometa me levar todas as vezes em que for vê-los.

— Não seria tão difícil.

— E seria bom se eu pudesse ter um cachorro.

— Claro que você vai ter... não um outro Rusty, claro, ele tem de ser único. Mas talvez algum com a mesma ascendência, inteligência e charme.

Virei-me e escondi o rosto em seu peito. Por um momento terrível, pensei que fosse chorar, mas aquilo era ridículo, as pessoas não choram quando estão felizes, isso só acontece em livros.

— Eu amo você — falei.

David me abraçou forte e acabei chorando, mas não me importei.

Ficamos sentados lá, envoltos em seu casaco, fazendo planos fantasiosas, como casarmos na Capela de Reef Point e pedir a Isabel Modes McKenzie para tricotar um vestido de noiva para mim — o que, inevitavelmente, acabou em boas gargalhadas. Então, abandonamos aqueles planos e fizemos outros. E, tão preocupados estávamos, que não percebemos o dia escurecer e o ar da noite esfriar. Acabamos sendo interrompidos pela minha avó, que abriu a janela e gritou para nos avisar que o chá estava pronto. Então, levantamos, com cãibras e frio, e começamos a caminhar de volta para casa.

O jardim estava tomado pelo crepúsculo e coberto de sombras. Não havíamos falado em Sinclair novamente, mas, de repente, senti sua presença em cada canto, não a do homem, mas a do menino de que me recordava. Ele corria, pisando leve, através da grama; das sombras sob as árvores; ouvi o farfalhar suave de folhas caídas. Perguntava-me se algum dia Elvie ficaria livre dele, e isso me entristeceu porque eu não queria que se tornasse um lugar assombrado, independentemente do que acontecesse e de quem viesse a morar lá.

David, que ia à minha frente, parou para apanhar a vassoura e o carrinho de mão e os deixou embaixo de um bordo, fora do caminho. Agora, ele esperava, com sua silhueta alta refletida pelas luzes da casa.

— O que foi, Jane?

— Fantasmas — respondi.

— Não há fantasmas aqui — ele disse. Olhei novamente e vi que ele estava certo. Apenas o céu, a água e o vento mexendo nas folhas. Nenhum fantasma. Continuei a caminhar, ele segurou a minha mão e, juntos, entramos para tomar o chá.

Impresso no Brasil pelo
Sistema Cameron da Divisão Gráfica da
DISTRIBUIDORA RECORD DE SERVIÇOS DE IMPRENSA S.A.
Rua Argentina 171 – Rio de Janeiro, RJ – 20921-380 – Tel.: 2585-2000